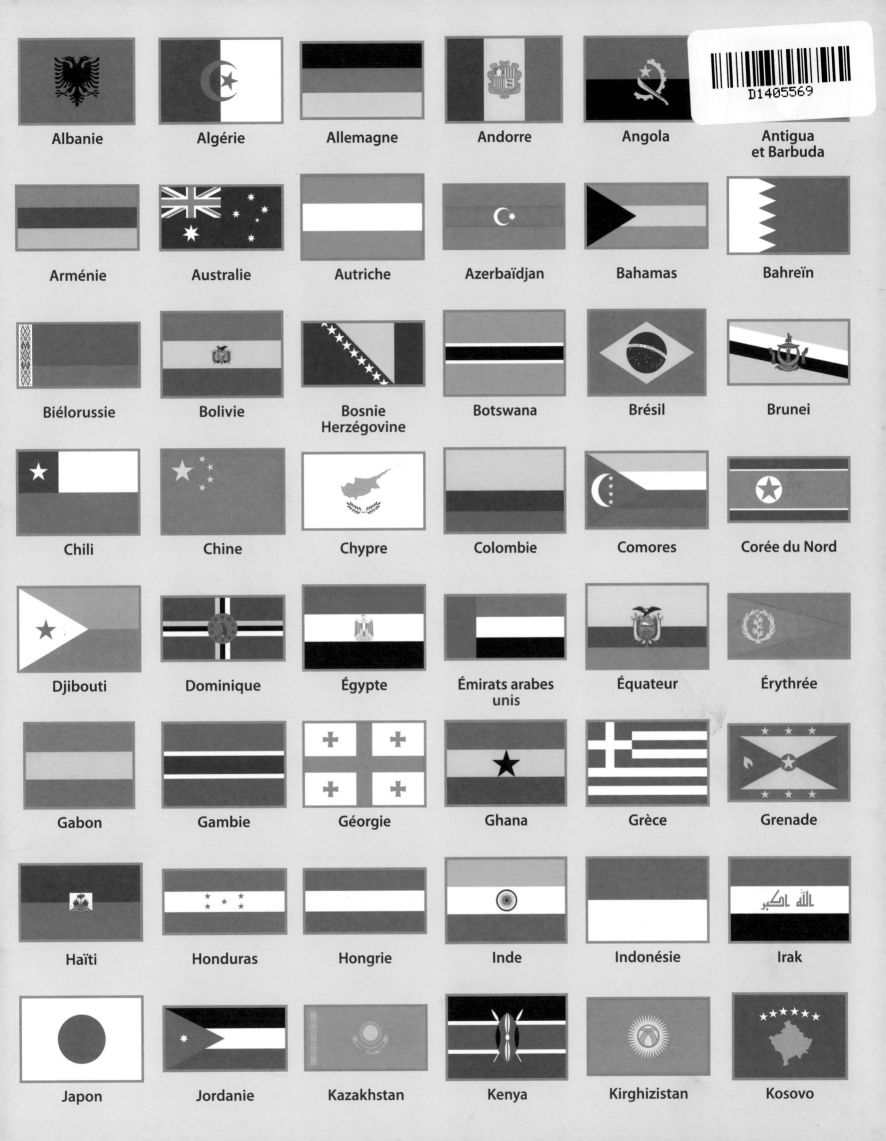

Albanie	Algérie	Allemagne
Andorre	Angola	Antigua et Barbuda
Arménie	Australie	Autriche
Azerbaïdjan	Bahamas	Bahreïn
Biélorussie	Bolivie	Bosnie Herzégovine
Botswana	Brésil	Brunei
Chili	Chine	Chypre
Colombie	Comores	Corée du Nord
Djibouti	Dominique	Égypte
Émirats arabes unis	Équateur	Érythrée
Gabon	Gambie	Géorgie
Ghana	Grèce	Grenade
Haïti	Honduras	Hongrie
Inde	Indonésie	Irak
Japon	Jordanie	Kazakhstan
Kenya	Kirghizistan	Kosovo

MON PREMIER
ATLAS

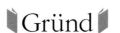
Gründ

Sommaire

Comment lire cet atlas

Les pays étudiés apparaissent en jaune sur les petits globes.

Les montagnes et les collines sont représentées comme ci-dessus. Les plus hauts sommets figurent en blanc.

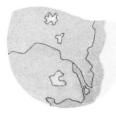

Mers et océans apparaissent en bleu. Les étendues plus petites sont les lacs. Les fleuves sont représentés par des lignes bleues.

Certains lacs s'assèchent pendant une partie de l'année. Ils sont matérialisés par des pointillés.

Les curiosités géographiques, telles les chutes du Niagara ci-dessus, sont mentionnées.

Cet atlas regroupe des cartes et des informations sur tous les pays du monde. À chaque région correspond une carte, accompagnée d'un texte de présentation et de paragraphes d'informations insolites.

Sur les cartes apparaissent les principaux reliefs, cours d'eau et lacs de chaque pays. Les capitales et les grandes villes y figurent également.

Les différents symboles indiquent les fruits et légumes qui poussent dans telle région, mais aussi les activités humaines qu'on y développe (industrie, exploitation minière, pêche, etc.). D'autres illustrations représentent la faune et la flore. Enfin, certains symboles signalent les monuments célèbres d'un pays ou des représentants de sa population.

Les pointillés noirs indiquent les frontières entre pays.

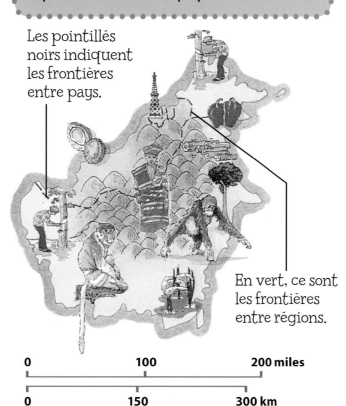

En vert, ce sont les frontières entre régions.

0   100   200 miles

0   150   300 km

L'échelle t'aidera à te faire une idée des dimensions des différents pays, ainsi que des distances. Les échelles varient suivant les cartes.

Les capitales des pays sont écrites en majuscules, et parfois repérées par un carré. Les grandes villes sont signalées par un point.

Sydney

Certaines villes sont représentées par un édifice célèbre (ci-dessus, l'Opéra de Sydney), au lieu d'un carré ou d'un point.

Les arbres indiquent la variété de la végétation du monde.

On trouve des épicéas et des sapins dans les régions froides.

Les arbres à feuilles larges se situent dans les régions tempérées.

Les arbres tropicaux apparaissent dans les régions chaudes et humides.

D'autres symboles indiquent les produits régionaux, ressources naturelles, animaux ou peuples d'une région.

Le monde

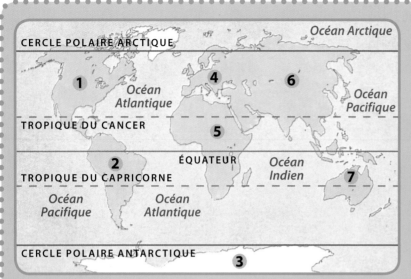

L'Amérique du Nord et l'Amérique du Sud forment une longue bande de terre entre le Pacifique et l'Atlantique. L'Antarctique est située au pôle Sud. Enfin, l'Australie et les petites îles environnantes (parfois désignées sous l'appellation d'Océanie) constituent le plus petit continent.

L'équateur est une ligne imaginaire qui coupe le monde en deux parts égales : l'hémisphère Nord et l'hémisphère Sud. L'équateur mesure 40 075 km de long ; on y rencontre les moyennes de température les plus élevées du globe.

Les conditions climatiques varient énormément d'une région du monde à l'autre. Le climat est influencé par l'altitude, par la proximité des montagnes ou d'un océan, ainsi que par les vents.

De part et d'autre de l'équateur, on trouve deux autres lignes imaginaires, les tropiques du Cancer (au nord) et du Capricorne (au sud). Le soleil y est haut dans le ciel toute l'année ; les journées ont donc plus ou moins toujours la même durée, et il n'y a que deux saisons par an : saison sèche et saison des pluies.

Vue de l'espace, la Terre apparaît bleue, car la majeure partie de sa surface est couverte d'eau. Notamment celle des océans Pacifique, Atlantique, Indien et Arctique.

Ces océans sont séparés par de vastes étendues de terre : les sept continents. À eux seuls, les continents asiatique, africain et européen représentent plus de la moitié des terres de la planète.

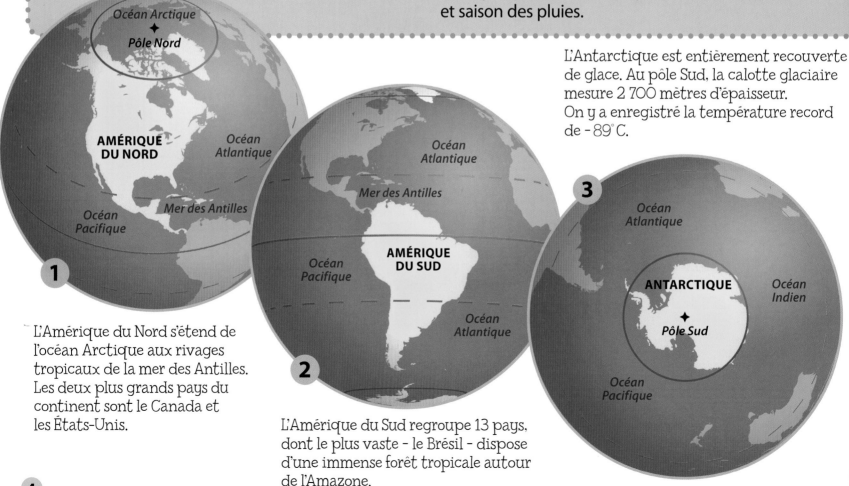

L'Antarctique est entièrement recouverte de glace. Au pôle Sud, la calotte glaciaire mesure 2 700 mètres d'épaisseur. On y a enregistré la température record de -89°C.

1 L'Amérique du Nord s'étend de l'océan Arctique aux rivages tropicaux de la mer des Antilles. Les deux plus grands pays du continent sont le Canada et les États-Unis.

2 L'Amérique du Sud regroupe 13 pays, dont le plus vaste - le Brésil - dispose d'une immense forêt tropicale autour de l'Amazone.

Les régions Arctique (pôle Nord) et Antarctique (pôle Sud) sont extrêmement froides. Près du cercle arctique, le paysage est constitué de plaines glacées, sans arbres. Le pôle Nord se situe au centre de l'océan Arctique ; il n'y a pas de terre, seulement des glaces qui dérivent.

Entre les tropiques et les cercles arctique et antarctique, le climat est plus doux. La partie supérieure de l'hémisphère Nord est boisée d'épicéas et de sapins. Mais plus au sud, on rencontre des arbres à feuilles larges. Les climats chauds produisent des prairies, comme les Grandes Plaines d'Amérique du Nord. Un tiers des terres de la planète est occupé par des déserts, où il pleut très rarement.

Exception faite de l'Antarctique, tous les continents sont divisés en pays. La population mondiale n'est pas répartie de façon égale : l'Asie en abrite plus de la moitié, tandis que personne ne vit en permanence sur l'Antarctique.

Les grandes villes du monde se sont souvent établies près des fleuves, des terres cultivables ou à proximité des ressources naturelles permettant le développement des communautés.

Australie, Nouvelle-Zélande, Papouasie-Nouvelle-Guinée et plus de 20 000 îles du Pacifique font de l'Océanie le continent le moins peuplé – Antarctique exclue.

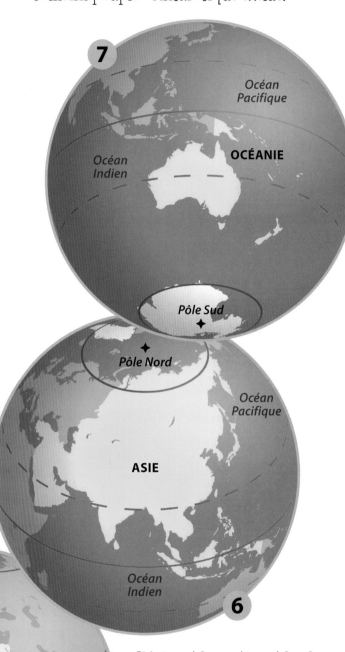

L'Asie est le continent le plus grand et le plus peuplé, avec entre autres la Russie, le plus vaste pays du monde, et la Chine, le pays le plus peuplé. Au centre du continent, l'Himalaya est la chaîne de montagne la plus élevée de la planète. On l'appelle le « toit du monde ».

L'Europe, continent aux nombreux pays, s'étend de la froide Scandinavie à la douce Méditerranée. Elle comprend environ un quart de la Russie.

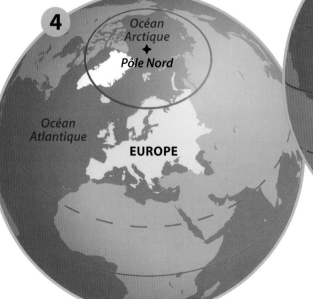

Deuxième continent par la superficie, l'Afrique se situe entre les océans Atlantique et Indien. Elle abrite notamment le Sahara, le plus vaste désert du monde.

L'Europe du Nord

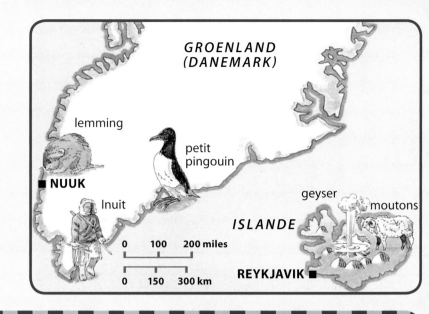

GROENLAND (DANEMARK)

lemming

petit pingouin

■ NUUK

Inuit

geyser

moutons

ISLANDE

0   100   200 miles

0   150   300 km

REYKJAVIK ■

Les îles Britanniques regroupent la Grande-Bretagne (Angleterre, Écosse, Pays de Galles), l'Irlande et de nombreuses petites îles. Le sud de l'Irlande (la République d'Irlande) est un pays indépendant. L'élevage des vaches et des moutons est généralisé dans les îles Britanniques. On exploite le pétrole et le gaz en mer du Nord, au large de l'Écosse.

La Norvège, la Suède, le Danemark, la Finlande et l'Islande constituent la Scandinavie, dont les immenses forêts fournissent du bois pour la fabrication du papier et des meubles. Ces pays ont de grandes flottes de pêche.

Le Groenland est une grande île dépendant du Danemark. La majeure partie de sa superficie se situe sous le cercle Arctique. La population y est peu nombreuse. C'est la plus grande île au monde à ne pas être un continent.

Gros plan sur...

L'eau chaude des **geysers** jaillit de la terre glacée de l'Islande.

Big Ben est la cloche de 13,8 tonnes du palais de Westminster.

Le **tweed** est un tissu en laine d'Écosse, utilisé pour les vêtements.

Le **mur d'Hadrien** a été bâti par les Romains au nord de l'Angleterre.

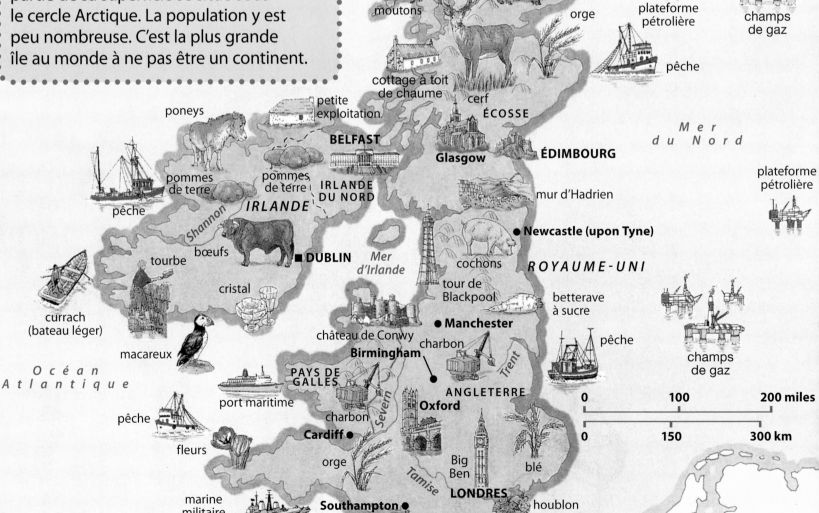

tweed

bétail

moutons

orge

plateforme pétrolière

champs de gaz

pêche

cottage à toit de chaume

cerf

ÉCOSSE

Mer du Nord

poneys

petite exploitation

BELFAST

Glasgow

ÉDIMBOURG

plateforme pétrolière

pommes de terre

pommes de terre

IRLANDE DU NORD

mur d'Hadrien

pêche

IRLANDE

Shannon

Newcastle (upon Tyne)

bœufs

■ DUBLIN

Mer d'Irlande

cochons

ROYAUME-UNI

tourbe

cristal

tour de Blackpool

betterave à sucre

currach (bateau léger)

château de Conwy

Manchester

pêche

macareux

charbon

champs de gaz

Océan Atlantique

PAYS DE GALLES

Birmingham

Trent

ANGLETERRE

port maritime

Oxford

0   100   200 miles

pêche

charbon

Severn

0   150   300 km

Cardiff ●

orge

Tamise

Big Ben

blé

fleurs

LONDRES

houblon

marine militaire

Southampton ●

port maritime

tunnel sous la Manche

Le savais-tu ?

◆ On recense plus de 190 000 lacs en Finlande.

◆ À Legoland dans la ville danoise de Billund, plus de 58 millions de briques Lego forment des statues et des bâtiments.

◆ La Norvège est deux fois plus grande que l'Angleterre, mais cette dernière est 12 fois plus peuplée.

phoque à capuchon

pêche

port maritime

petit pingouin

Narvik

bœuf musqué

Samis

grand tétras

bouleaux

rennes

RUSSIE

hydravion

lemming

rennes

loup

mines

loutre

aigle royal

pêche

saumons

Trondheim

ski

bois

lynx

mines

glouton

ski de fond

mines

FINLANDE

mines

avoine

sauna

bois

stavkirke (église en bois)

NORVÈGE

ergen

bois

cochons

cathédrale

truites

pommes de terre

vaches laitières

moutons

OSLO

avoine

costume traditionnel

université d'Uppsala

élan

avoine

HELSINKI

G o l f e   d e   B o t n i e

Golfe de Finlande

hareng

pêche

ferry

Göteborg

STOCKHOLM

brise-glace

vaches laitières

pommes de terre

pommes de terre

Petite Sirène

runes

seigle

eider

cochons

DANEMARK

COPENHAGUE

M e r   B a l t i q u e

moulin à vent

ALLEMAGNE

Gros plan sur...

Le **ski de fond** est une discipline populaire en Scandinavie.

La statue de la **Petite Sirène** domine le port de Copenhague, au Danemark.

Le **sauna** est un bain de vapeur. Après leur séance, les Finlandais aiment courir dans la neige !

Vieilles de plus de 700 ans, les **stavkirke** norvégiennes sont des églises en bois.

7

La France et le Benelux

Plus grand pays d'Europe de l'Ouest, la France dispose de vastes terres cultivables. Son climat tempéré est idéal pour la culture du blé, du maïs et de l'orge. Ses vignes produisent des vins célèbres dans le monde entier. Sa gastronomie est tout aussi réputée.

Les belles villes sont nombreuses en France. Paris est un important centre artistique et estudiantin. La principale région industrielle se trouve au nord du pays. Les Alpes sont renommées pour l'escalade et le ski. Quant à la côte d'Azur, en bordure de la Méditerranée, elle compte une multitude de stations balnéaires.

Le Benelux fédère Belgique, Luxembourg et Pays-Bas. Un tiers de la superficie des Pays-Bas se situe au-dessous du niveau de la mer, et leur point culminant s'élève à 320 mètres.

Gros plan sur...

 La **truffe** est un champignon souterrain de grande valeur. On dresse des cochons ou des chiens pour la rechercher.

 Les **peintures rupestres** de Lascaux datent de 17 000 ans et représentent des animaux (chevaux, cerfs, notamment) et des hommes.

 Les **bergers basques** fabriquent de savoureux fromages de brebis et vivent au pied des Pyrénées, entre l'Espagne et la France.

Aux Pays-Bas, les **moulins à vent** servaient autrefois à pomper l'eau des terres inondées. Depuis, on a bâti des digues.

Le **Tour de France** est la course cycliste la plus célèbre au monde. Les cyclistes de nombreux pays parcourent environ 3 500 kilomètres en trois semaines.

 Le **TGV** relie les grandes villes de France et du Benelux. C'est l'un des trains de voyageurs les plus rapides au monde.

Océan Atlantique

Le savais-tu ?

• La France, la Belgique, les Pays-Bas et le Luxembourg font partie de l'Union Européenne, dont l'objectif est d'améliorer les conditions de vie des pays membres et de favoriser les échanges.

• La population belge se divise principalement entre les Flamands (qui parlent le néerlandais) et les Wallons (qui sont francophones).

• Le réseau routier et ferroviaire belge est le plus dense du monde.

• La France est le pays le plus visité au monde.

• Amsterdam est construite sur une centaine d'îles reliées par des canaux. 50 voitures au moins chutent chaque année dans ces canaux. Une brigade spéciale de la police est affectée à la récupération des véhicules.

| 0 | 100 | 200 miles |
| 0 | 150 | 300 km |

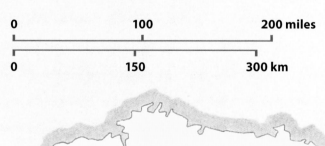

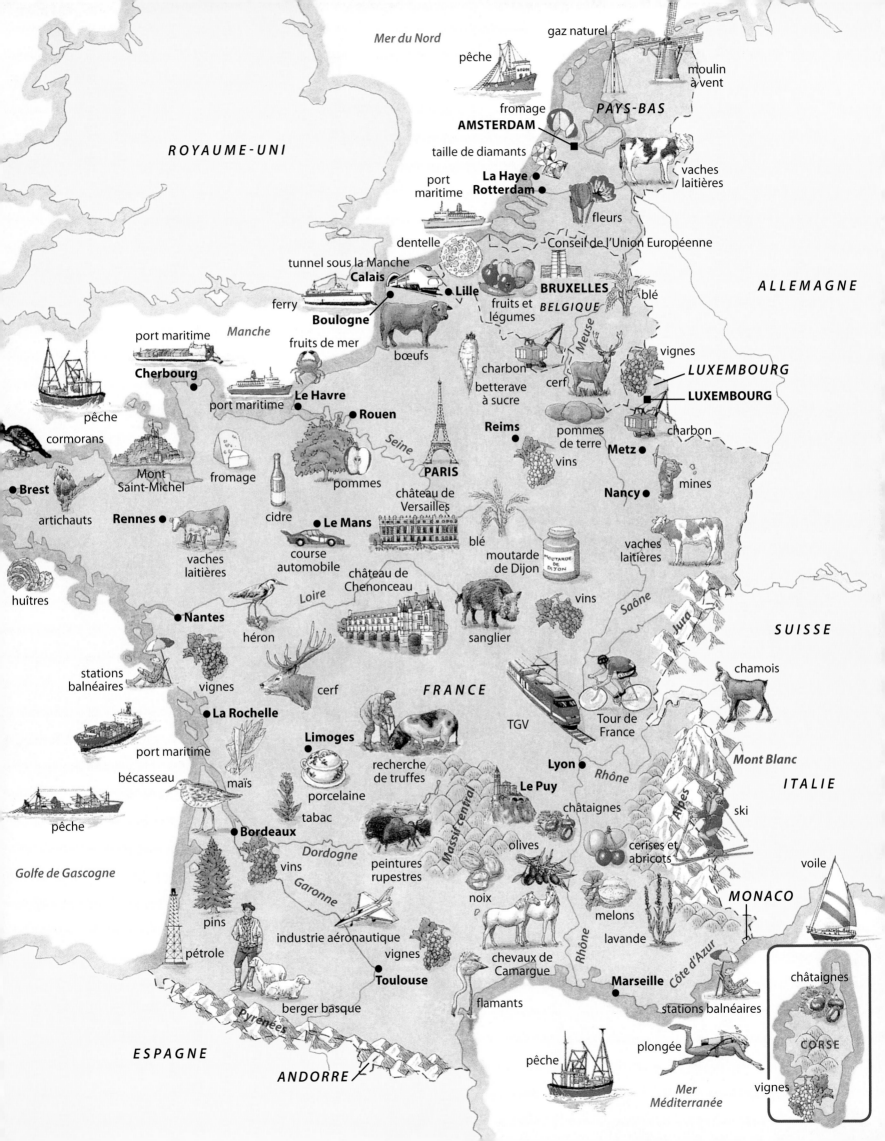

Mer du Nord

gaz naturel

pêche

moulin
à vent

PAYS-BAS

fromage

AMSTERDAM

ROYAUME-UNI

taille de diamants

vaches
laitières

port
maritime

La Haye
Rotterdam

fleurs

dentelle

Conseil de l'Union Européenne

tunnel sous la Manche

ALLEMAGNE

Calais

Lille

fruits et
légumes

BRUXELLES

blé

ferry

Boulogne

BELGIQUE

Meuse

port maritime

Manche

fruits de mer

bœufs

charbon

cerf

vignes

LUXEMBOURG

Cherbourg

betterave
à sucre

pommes
de terre

charbon

LUXEMBOURG

port maritime

Le Havre

Rouen

Seine

Reims

vins

Metz

mines

pêche

cormorans

Mont
Saint-Michel

fromage

pommes

PARIS

château de
Versailles

blé

Nancy

Brest

artichauts

Rennes

cidre

Le Mans

moutarde
de Dijon

vaches
laitières

huîtres

vaches
laitières

course
automobile

château de
Chenonceau

Loire

vins

Saône

Nantes

héron

sanglier

Jura

SUISSE

stations
balnéaires

vignes

cerf

FRANCE

chamois

La Rochelle

TGV

Tour de
France

Mont Blanc

port maritime

Limoges

recherche
de truffes

Lyon

Rhône

ITALIE

bécasseau

maïs

porcelaine

Massif central

Le Puy

châtaignes

ski

pêche

tabac

olives

cerises et
abricots

voile

Bordeaux

Dordogne

peintures
rupestres

noix

MONACO

Golfe de Gascogne

vins

Garonne

melons

châtaignes

pins

lavande

pétrole

industrie aéronautique

vignes

chevaux de
Camargue

Rhône

Côte d'Azur

CORSE

Toulouse

Marseille

stations balnéaires

berger basque

flamants

plongée

vignes

Pyrénées

ESPAGNE

pêche

Mer
Méditerranée

ANDORRE

L'Europe centrale

L'Allemagne est la grande nation industrielle d'Europe centrale, notamment dans la vallée de la Ruhr. Le Rhin est une voie de transport importante. Le nord du pays possède des plaines fertiles. Le sud, des montagnes et des forêts. Plus au sud, on trouve la Suisse et l'Autriche, dominées par les Alpes.

À l'est, on rencontre la République tchèque, la Slovaquie et la Pologne, trois pays riches en ressources naturelles, et aux industries fortes. La Pologne possède des centres d'aciérie et de construction navale sur la Baltique. L'agriculture reste importante dans ces trois pays.

Gros plan sur...

Antilope sauvage de la taille d'une chèvre, le **chamois** vit en montagne et se nourrit d'herbes, de fleurs et de pousses de pin.

La région tchèque de Bohème, haut lieu touristique, est célèbre pour sa **verrerie** et sa cristallerie.

Il reste très peu de **bisons** en Europe. La plupart vivent dans une forêt protégée de Pologne.

La Suisse est célèbre pour ses **montres**, qu'elle exporte dans le monde entier.

Les **lipizzans** de l'École espagnole d'équitation de Vienne se produisent aux quatre coins du monde.

Le château de **Neuschwanstein** a été construit il y a plus de 100 ans pour le roi Louis II de Bavière.

0	75	150 miles

0	100	200 km

Croix-Rouge

pêche

port maritime

Kiel

port maritime

cochons

Lübeck

Hambourg

pétrole

Elbe

por Hol

moutons

gaz naturel

pommes

mines

betterave à sucre

Hanovre

Weser

orge

sel

charbon

pigeon voyageur

ALLEMAGNE

Cologne

mines

maisons à colombages

Bonn

cathédrale de Cologne

bière

vignes

vin

vignes

Francfort

ALLEMAGNE

Trèves

château vignes

Nuremberg

marché

orchestre de garçons de Dinkelsbühl

FRANCE

Stuttgart

buse

houblon

Forêt-Noire

Danube

Munich

vaches laitières

montres

Zurich

Lac de Constance

château de Neuschwanstein

fromage

chocolat

VADUZ

Innsbruck

BERNE

SUISSE

vaches laitières

Alpes

ski

snowboard

Lac Léman

LIECHTENSTEIN

ITALIE

Cervin

pêche

Mer Baltique

pêche

construction navale

port maritime

Gdańsk

cabine de plage

stations balnéaires

Elbląg

colza

ostock

pommes de terre

moutons

vaches laitières

pommes de terre

Malbork

bière

bison

légumes

blé

BERLIN

chevaux

Poznań

Vistule

POLOGNE

orge

hes ères

charbon

Oder

betterave à sucre

cochons

bois

VARSOVIE

Łódź

houblon

blé

eipzig

blé

pommes

porcelaine de Saxe

pommes de terre

Dresde

ski

cochons

lin

seigle

maïs

mines

pommes

costume traditionnel

tabac

pétrole

bœufs

houblon

jambon

charbon

mines

charbon

Cracovie

gaz naturel

PRAGUE

bière

charbon

chamois

cochons

RÉPUBLIQUE TCHÈQUE

charbon

SLOVAQUIE

vignes

pêche

verrerie de Bohème

martin-pêcheur

Brno

vignes

betterave à sucre

moutons

bois

bière

vignes

fruits

meule de foin

VIENNE

BRATISLAVA

acier

Danube

Salzbourg

orge

légumes

blé

AUTRICHE

mines

Lipizzan

marmotte

chamois

Alpes

vaches laitières

bois

L'Espagne, le Portugal et l'Italie

L'Espagne compte plusieurs chaînes de montagnes. Les plus hautes sont celles des Pyrénées (frontière avec la France) et celles de la Sierra Nevada, dans le sud. Les Espagnols sont aujourd'hui nombreux à vivre en ville, mais certains préfèrent toujours la campagne, et cultivent les oliviers, les agrumes et la vigne. Situé à la frontière sud-ouest de l'Espagne, le Portugal est un plus petit pays, peuplé de nombreux pêcheurs et fermiers.

L'Italie forme un long pays étroit, traversé par le massif des Apennins. Au nord, on fabrique des voitures et on travaille le textile. Au sud, on cultive les fruits (olives et oranges, entre autres).

En Espagne, au Portugal et en Italie, le climat est doux. Les plages de ces pays attirent de nombreux touristes du monde entier.

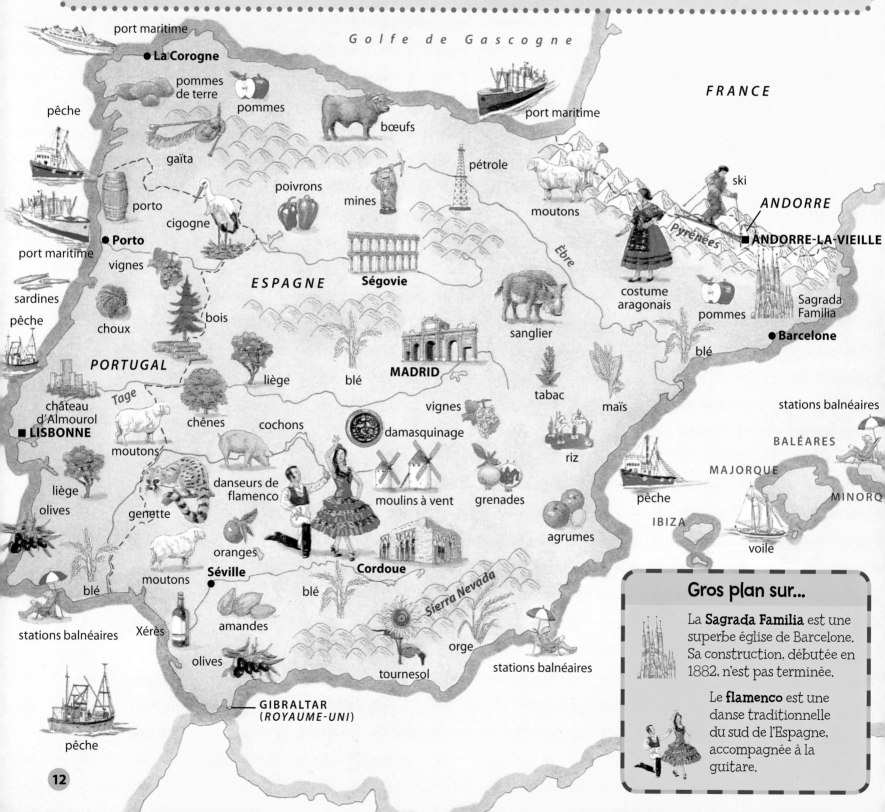

port maritime
La Corogne
Golfe de Gascogne
pommes de terre
pommes
pêche
bœufs
port maritime
FRANCE
gaïta
pétrole
poivrons
mines
porto
cigogne
moutons
ski
ANDORRE
Porto
port maritime
vignes
ESPAGNE
Ségovie
Pyrénées
ANDORRE-LA-VIEILLE
sardines
 Èbre
costume aragonais
pommes
Sagrada Familia
pêche
choux
bois
sanglier
Barcelone
PORTUGAL
liège
blé
MADRID
blé
Tage
vignes
tabac
maïs
stations balnéaires
château d'Almourol
chênes
cochons
damasquinage
BALÉARES
LISBONNE
riz
MAJORQUE
moutons
danseurs de flamenco
moulins à vent
grenades
pêche
MINORQ
liège
olives
genette
oranges
agrumes
IBIZA
voile
moutons
Séville
Cordoue
blé
Sierra Nevada
blé
amandes
Xérès
orge
stations balnéaires
olives
tournesol
stations balnéaires
pêche
GIBRALTAR (ROYAUME-UNI)

Gros plan sur...

La **Sagrada Familia** est une superbe église de Barcelone. Sa construction, débutée en 1882, n'est pas terminée.

Le **flamenco** est une danse traditionnelle du sud de l'Espagne, accompagnée à la guitare.

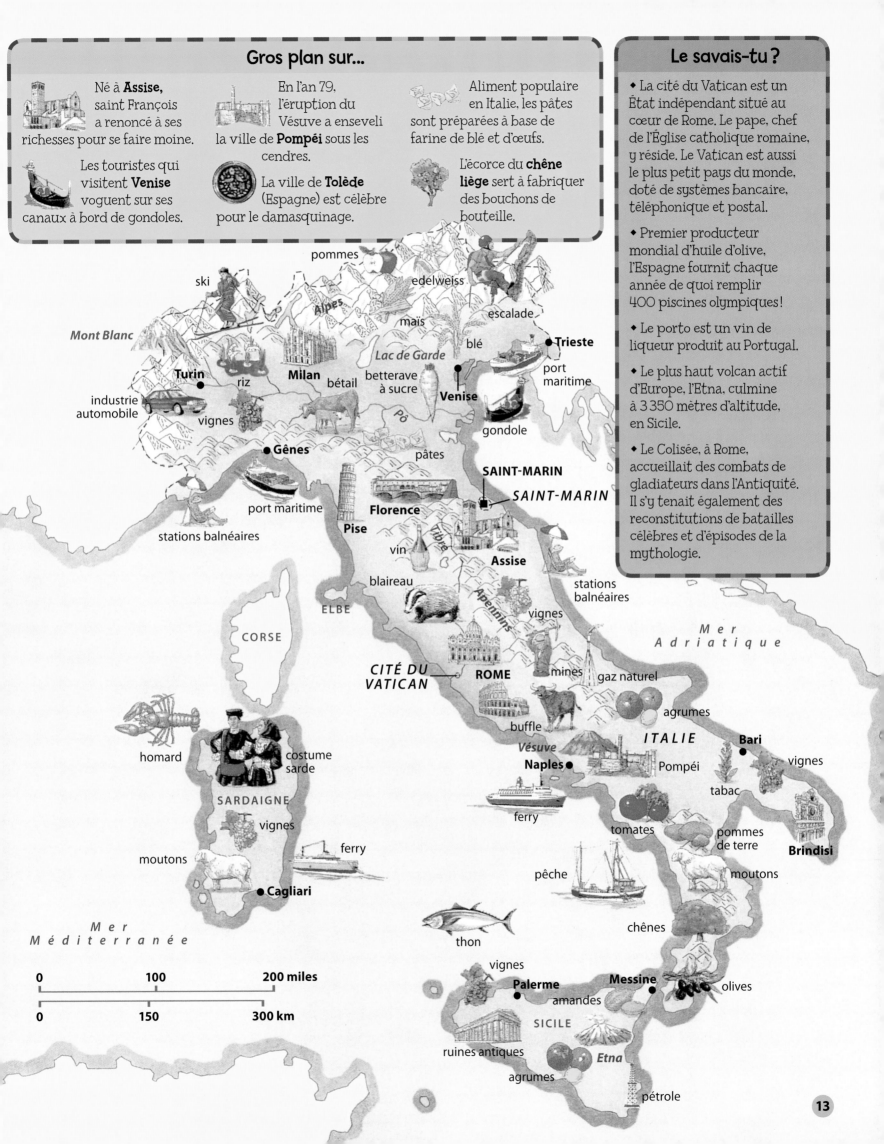

Né à **Assise,** saint François a renoncé à ses richesses pour se faire moine.

Les touristes qui visitent **Venise** voguent sur ses canaux à bord de gondoles.

En l'an 79, l'éruption du Vésuve a enseveli la ville de **Pompéi** sous les cendres.

La ville de **Tolède** (Espagne) est célèbre pour le damasquinage.

Aliment populaire en Italie, les pâtes sont préparées à base de farine de blé et d'œufs.

L'écorce du **chêne liège** sert à fabriquer des bouchons de bouteille.

Le savais-tu ?

◆ La cité du Vatican est un État indépendant situé au cœur de Rome. Le pape, chef de l'Église catholique romaine, y réside. Le Vatican est aussi le plus petit pays du monde, doté de systèmes bancaire, téléphonique et postal.

◆ Premier producteur mondial d'huile d'olive, l'Espagne fournit chaque année de quoi remplir 400 piscines olympiques !

◆ Le porto est un vin de liqueur produit au Portugal.

◆ Le plus haut volcan actif d'Europe, l'Etna, culmine à 3 350 mètres d'altitude, en Sicile.

◆ Le Colisée, à Rome, accueillait des combats de gladiateurs dans l'Antiquité. Il s'y tenait également des reconstitutions de batailles célèbres et d'épisodes de la mythologie.

pommes

ski

edelweiss

Alpes

Mont Blanc

mais

escalade

blé

Lac de Garde

• Trieste

Turin

riz

Milan

bétail

betterave à sucre

port maritime

industrie automobile

vignes

Venise

Pô

gondole

• **Gênes**

pâtes

port maritime

stations balnéaires

SAINT-MARIN

SAINT-MARIN

Florence

Pise

Tibre

vin

Assise

blaireau

stations balnéaires

Apennins

vignes

ELBE

CORSE

Mer Adriatique

CITÉ DU VATICAN

ROME

mines

gaz naturel

buffle

agrumes

homard

costume sarde

I T A L I E

Bari

vignes

Vésuve

Naples •

Pompéi

tabac

SARDAIGNE

vignes

tomates

pommes de terre

Brindisi

moutons

ferry

pêche

moutons

• **Cagliari**

chênes

Mer Méditerranée

thon

vignes

Palerme •

Messine

olives

amandes

SICILE

ruines antiques

Etna

agrumes

pétrole

0	100	200 miles
0	150	300 km

Le sud-est de l'Europe

La Hongrie, la Serbie, la Croatie, la Roumanie, la Bulgarie et la Grèce font partie du sud-est de l'Europe. Budapest, la capitale hongroise, est située sur les rives du Danube, qui traverse ensuite la Serbie, l'une des six républiques de l'ex-Yougoslavie. Les désaccords entre les deux plus grands de ces pays, la Serbie et la Croatie, les ont conduits à une guerre civile dans les années 1990.

Le Danube poursuit son cours jusqu'à la mer Noire, formant la frontière entre la Roumanie et la Bulgarie – deux pays dotés de hautes chaînes de montagnes (les Carpates et les Alpes de Transylvanie en Roumanie ; les Balkans en Bulgarie).

Au sud, la Grèce continentale et son chapelet d'îles attirent les touristes par ses ruines antiques autant que par ses plages.

Le savais-tu ?

◆ Les premiers jeux olympiques ont eu lieu à Olympie en 776 av. J.-C. La première édition moderne s'est tenue à Athènes en 1896.

◆ Le comte Dracula, le célèbre vampire romanesque, était originaire de Transylvanie, en Roumanie.

◆ La côte dalmate (Croatie) est parsemée de nombreuses îles. Les chiens tachetés dalmatiens sont originaires de cette région.

Gros plan sur...

 Fruit de l'olivier, **l'olive** est verte avant de virer au noir à maturité.

 On rencontre des **pélicans** sur les bords de la mer Noire. Ce grand oiseau est doté d'une poche sous son bec, qui lui permet de pêcher.

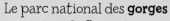 Le parc national des **gorges de Samaria,** sur l'île grecque de Crète, est un haut lieu touristique.

 Le château de **Bran** a été construit en 1377 pour sécuriser la route des Alpes de Transylvanie.

 Les Romains ont bâti un grand amphithéâtre de plusieurs milliers de places dans le port de **Pula** (Croatie).

 Un trésor vieux de plus de 6 000 ans a été mis au jour en Bulgarie. Il compte notamment des **vaches en or.**

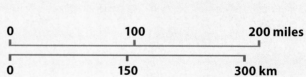 Le **Parthénon** est un temple athénien consacré à la déesse de la sagesse, Athéna. Il a plus de 2 400 ans.

 La **vallée des roses,** en Bulgarie, produit des... roses, mais aussi une huile essentielle utilisée en parfumerie.

AUTRICHE

SLOVÉNIE

LJUBLJANA

ZAGR

loup

charbon

amphithéâtre romain

Pula

Alpes dinariques

CROATIE

Côte dalmate

pêche

Spl

Mer Adriatique

ITALIE

0	100	200 miles
0	150	300 km

olives

gorges de Samariá

stations balnéaires

MALTE ■ LA VALETTE

SLOVÉNIE

charbon

bois

UKRAINE

UKRAINE

vignes

vignes

BUDAPEST

Csikós

cochons

betterave à sucre

riz

lynx

cigogne

pommes

MOLDAVIE

HONGRIE

bœufs

maïs

Carpathes

maïs

Cluj-Napoca

monastère

tournesol

pommes de terre

paprika

betterave à sucre

vignes

sanglier

gaz naturel

gaz naturel

Drave

Danube

pommes

mines

château de Bran

CROATIE

blé

vaches laitières

Alpes de Transylvanie

ski

bois

vignes

cochons

cochons

charbon

blé

roseau

BOSNIE-RZÉGOVINE

oies

BELGRADE

tabac

ROUMANIE

pétrole

BUCAREST

vignes

vignes

mines

SARAJEVO

vignes

pommes de terre

mines

maïs

Danube

betterave à sucre

mines

blé

SERBIE

tournesol

stations balnéaires

ours brun

blé

BULGARIE

vache en or

Mer Noire

MONTÉNÉGRO

KOSOVO

roses

Dubrovnik

PODGORICA

PRISTINA

bois

SOFIA

charbon

Mont Balkan

orge

jnes

vignes

moutons

SKOPJE

bois

tabac

TURQUIE

MACÉDOINE

bétail

coton

chèvres

moutons

danseurs grecs

coton

pêche

TIRANA

tabac

Mer Ionienne

ALBANIE

Pinde

LEMNOS

olives

Mont Olympe

Mer Égée

CORFOU

vignes

figues

agrumes

moutons

LESBOS

CÉPHALONIE

GRÈCE

pêche

pieuvre

olives

Parthénon

CHIOS

TURQUIE

stations balnéaires

ATHÈNES

moulins à vent

SAMOS

0   50 miles

Corinthe

port maritime

stations balnéaires

0   75 km

ZANTE

NAXOS

CRÈTE

palmier

mines

argent

uines antiques

RHODES

15

Mer de Beaufort

ÎLES DE LA REINE-ÉLISABETH

otarie à fourrure

oie des neiges

ÎLE BANKS

morse

ÎLE VICTORIA

Yukon

renard polaire

chouette harfang

mines

ALASKA
(ÉTATS-UNIS)

pétrole

loutre de mer

pétrole

Mackenzie

YUKON

TERRITOIRES
DU NORD-OUEST

Grand Lac
de l'Ours

élan

Anchorage

grizzly

CANADA

pétrolier

Inuit

Whitehorse

saumon

Yellowknife

Grand Lac
des Esclaves

pétrole

arlequin plongeur

Océan
Pacifique

dauphin

Juneau

saumon

chèvre de montagne

Lac
Athabasca

cochons

Le savais-tu ?

◆ Le Canada possède deux
langues officielles : l'anglais
et le français. Près d'un
quart de la population
utilise le français comme
langue maternelle.

◆ Le ciel arctique du nord du
pays est le théâtre d'aurores
boréales, un magnifique
spectacle lumineux.

◆ Un musée proche de
Calgary abrite la plus
grande collection de
squelettes entiers de
dinosaures au monde.

COLOMBIE-
BRITANNIQUE

ski

ALBERTA

Edmonton

SASKATCHEWAN

moisson
du blé

mât
totémique

rodéo

ÎLE DE
VANCOUVER

Calgary

blé

pêche

Vancouver

Regina

port
maritime

Gros plan sur...

 En Arctique, certains
Inuits chassent
encore, mais la plupart
travaillent comme
pêcheurs ou mineurs.

 Les **bûcherons**
canadiens font
un travail pénible
et dangereux.

 Jusqu'en 1929, la
Gendarmerie royale
canadienne se déplaçait
à cheval. Aujourd'hui, elle
utilise avions et motoneiges.

La **tour CN** de Toronto
culmine à 553 mètres
d'altitude. Ouverte en
1975, elle était alors la plus
haute structure au monde.

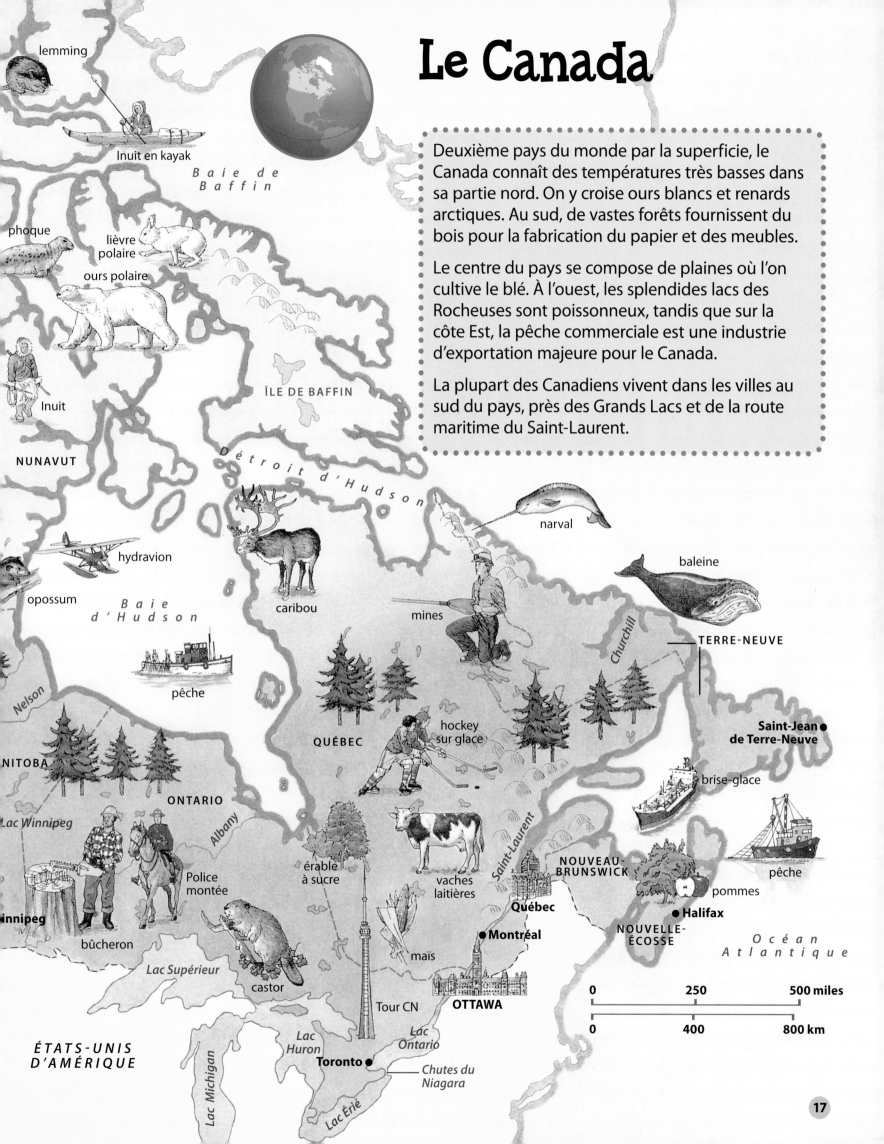

Le Canada

lemming

Inuit en kayak

Baie de Baffin

phoque

lièvre polaire

ours polaire

Inuit

NUNAVUT

Détroit d'Hudson

Deuxième pays du monde par la superficie, le Canada connaît des températures très basses dans sa partie nord. On y croise ours blancs et renards arctiques. Au sud, de vastes forêts fournissent du bois pour la fabrication du papier et des meubles.

Le centre du pays se compose de plaines où l'on cultive le blé. À l'ouest, les splendides lacs des Rocheuses sont poissonneux, tandis que sur la côte Est, la pêche commerciale est une industrie d'exportation majeure pour le Canada.

La plupart des Canadiens vivent dans les villes au sud du pays, près des Grands Lacs et de la route maritime du Saint-Laurent.

ÎLE DE BAFFIN

narval

baleine

hydravion

opossum

Baie d'Hudson

caribou

mines

TERRE-NEUVE

Nelson

pêche

Churchill

QUÉBEC

hockey sur glace

Saint-Jean de Terre-Neuve ●

brise-glace

NITOBA

ONTARIO

Lac Winnipeg

Albany

érable à sucre

vaches laitières

Saint-Laurent

NOUVEAU-BRUNSWICK

pêche

Police montée

Québec

pommes

Québec

innipeg

bûcheron

castor

● **Montréal**

NOUVELLE-ÉCOSSE

● **Halifax**

Océan Atlantique

Lac Supérieur

maïs

0	250	500 miles
0	400	800 km

Tour CN

OTTAWA

ÉTATS-UNIS D'AMÉRIQUE

Lac Huron

Lac Ontario

Lac Michigan

Toronto ●

Chutes du Niagara

Lac Érié

Les États-Unis d'Amérique

Les États-Unis d'Amérique se composent de 50 États. Quarante-huit d'entre eux sont situés entre le Canada et le Mexique. Ensuite, il y a l'Alaska, à l'ouest du Canada ; et l'archipel d'Hawaii, au sud-ouest de la zone continentale, en plein Pacifique.

Les premiers occupants du territoire continental, les Amérindiens, sont arrivés d'Asie pendant la Préhistoire. Les premiers Européens les y ont rejoints il y a plus de 400 ans. Depuis, on vient du monde entier chercher le rêve américain sur les terres de l'Oncle Sam !

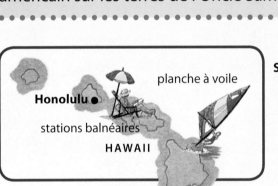

Honolulu
planche à voile
stations balnéaires
HAWAII

Gros plan sur...

Autrefois menacés, les **alligators** vivent désormais dans les marais protégés des Everglades.

Certains **séquoias** de Californie ont plus de 2 000 ans. Le plus haut mesure 115 mètres.

Des immenses troupeaux d'autrefois, seuls quelques **bisons** subsistent de nos jours.

Les Indiens **Mojave**, installés dans l'actuelle Californie, ne sont plus nombreux aujourd'hui.

Le **geyser** Old Faithful, du parc national de Yellowstone, projette eau chaude et vapeur très régulièrement.

Tous les ans, les deux meilleures équipes de football américain s'affrontent lors du **Superbowl.**

CANADA

pommes
Seattle
WASHINGTON
Columbia
bois
Snake
IDAHO
OREGON
puma
séquoia
Sierra Nevada
NEVADA
aigle d'Amérique
mines
gaz naturel
grizzly
MONTANA
geyser Old Faithful
bisc
WYOMING
Montagnes Rocheuses
ski
Denv
UTAH
COLORADO
San Francisco
San José
vignes
CALIFORNIE
Indien Mojave
Las Vegas
informatique
oranges
Los Angeles
Disneyland
San Diego
Grand Canyon
Colorado
ARIZONA
coucou terrestr
NOUVEAU-MEXIQ
Phoenix
mines
cactus saguaro
village indien *pueblo*

Océan Pacifique

MEXIQUE

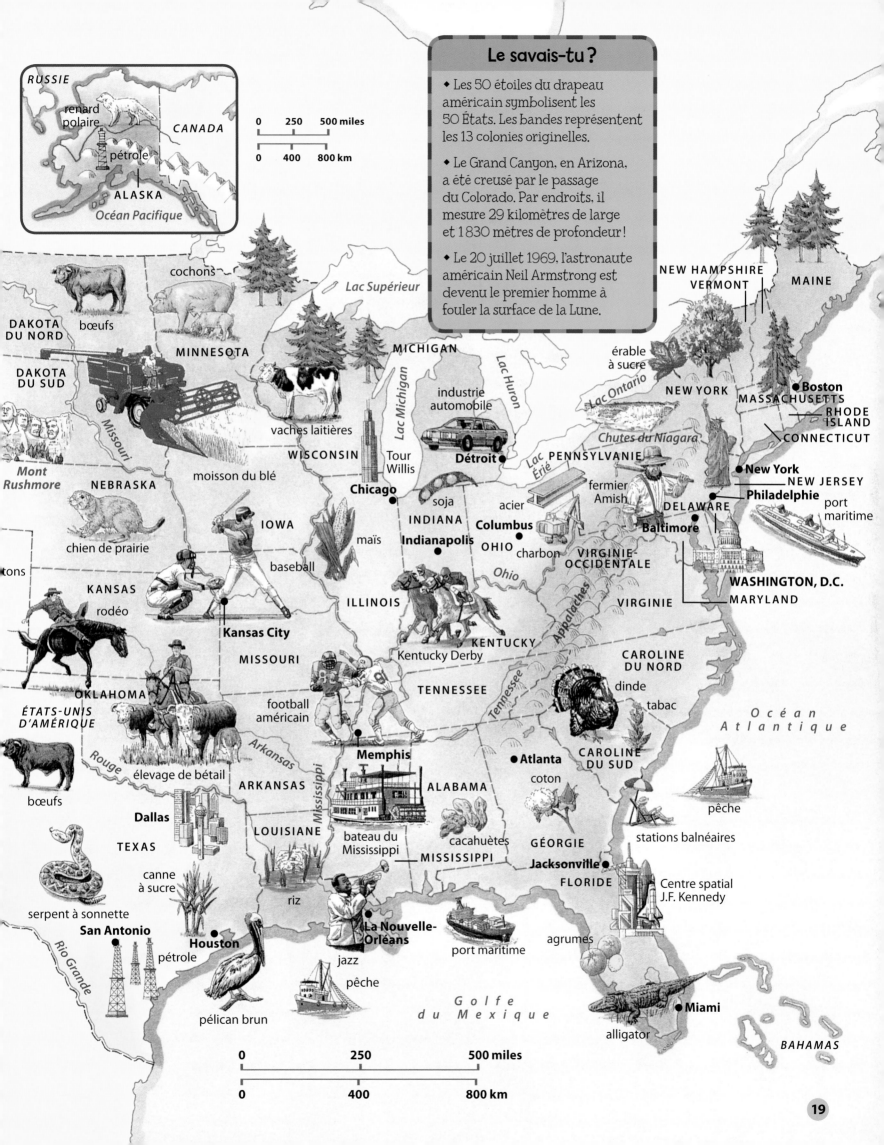

RUSSIE

renard polaire

CANADA

pétrole

ALASKA

Océan Pacifique

0 250 500 miles

0 400 800 km

cochons

Lac Supérieur

NEW HAMPSHIRE
VERMONT

MAINE

DAKOTA DU NORD

bœufs

MINNESOTA

MICHIGAN

érable à sucre

Mont Rushmore

DAKOTA DU SUD

Missouri

vaches laitières

industrie automobile

Lac Huron

Lac Ontario

NEW YORK

MASSACHUSETTS

● Boston

RHODE ISLAND

Chutes du Niagara

CONNECTICUT

WISCONSIN

Tour Willis

Détroit ●

Lac Érié PENNSYLVANIE

NEBRASKA

moisson du blé

Chicago ●

soja

acier

fermier Amish

New York ●

NEW JERSEY

Philadelphie

port maritime

chien de prairie

maïs

INDIANA

Columbus
●

DELAWARE

Baltimore

Indianapolis ●

OHIO

charbon

VIRGINIE-OCCIDENTALE

WASHINGTON, D.C.

IOWA

baseball

Ohio

MARYLAND

tons

KANSAS

rodéo

ILLINOIS

Kentucky Derby

KENTUCKY

Appalaches

VIRGINIE

Kansas City

MISSOURI

Tennessee

CAROLINE DU NORD

dinde

Océan Atlantique

OKLAHOMA

football américain

TENNESSEE

tabac

ÉTATS-UNIS D'AMÉRIQUE

Arkansas

Memphis

CAROLINE DU SUD

élevage de bétail

Rouge

Mississippi

ALABAMA

Atlanta ●

coton

bœufs

Dallas

ARKANSAS

GÉORGIE

pêche

TEXAS

LOUISIANE

bateau du Mississippi

MISSISSIPPI

cacahuètes

Jacksonville ●

stations balnéaires

canne à sucre

riz

FLORIDE

Centre spatial J.F. Kennedy

serpent à sonnette

San Antonio

La Nouvelle-Orléans

agrumes

Houston ●

jazz

pêche

pétrole

Rio Grande

pélican brun

port maritime

Golfe du Mexique

Miami ●

alligator

BAHAMAS

0 250 500 miles

0 400 800 km

vignes

Indienne
Tarahumara

cathédrale
de Chihuahua

ÉTATS-UNIS
D'AMÉRIQUE

maïs

moutons

cactus
candélabre

coton

âne

blé

Chihuahua

Rio Grande

espadon

cacao

Golfe de Californie

serpent
à sonnette

poivrons
rouges

mines

oranges

ocelot

MEXIQUE

Golfe du
Mexique

poivrons
verts

charbon

pêche

plate-forme
pétrolière

canne
à sucre

pêche

baleine grise

café

homard

fiesta

bois

maïs

MEXICO

mines

pêche

Popocatepetl

bananes

Chichén Itzá

bétail

noix de
coco

Acapulco

canne
à sucre

port maritime

BÉLIZE

cactus
géant

pétrole

café

stations balnéaires

pêche

Indien
Lacandon

GUATEMALA ■
GUATEMALA

quetzal

canne
à sucre

SAN SALVADOR
SALVADOR

MANAGUA
bananes

Océan
Pacifique

Gros plan sur...

Cultivé par la population locale depuis des millénaires, le **maïs** est aujourd'hui populaire dans le monde entier.

Les Mayas ont bâti les **pyramides** de Chichén Itzá il y a environ 1500 ans.

Les indiens **Lacandons**, descendants des Mayas, vivent dans la forêt tropicale du Mexique.

L'Amérique centrale exporte ses **bananes** en Amérique du Nord et en Europe.

Le **lamantin** se nourrit de plantes sous-marines et remonte à la surface pour respirer.

Des **fiestas** sont données en l'honneur des saints patrons des villes et des villages mexicains.

0	250	500 miles
0	400	800 km

Le Mexique, l'Amérique centrale et les Antilles

Océan Atlantique

Le Mexique est l'un des sept pays d'Amérique centrale, qui forment un pont terrestre avec l'Amérique du Sud. Leurs habitants sont les descendants des Amérindiens (premiers occupants de ces territoires) et des Européens arrivés il y a plus de 400 ans.

Les îles des Antilles s'étendent en arc de cercle dans la mer du même nom. Autrefois dominées par des puissances étrangères, la plupart sont aujourd'hui indépendantes. Leur population descend en grande partie des esclaves africains venus travailler dans les plantations de canne à sucre détenues par les immigrants européens.

NASSAU

tabac

callistemon

BAHAMAS

LA HAVANE

cigares

café

canne à sucre

mines

CUBA

pêche

BELMOPAN

canne à sucre

canne à sucre

café

RÉPUBLIQUE DOMINICAINE

mines

tabac

ÎLES VIERGES (EU/RU)

ANGUILLA (ROYAUME-UNI)

SAINT-CHRISTOPHE-ET-NIÉVÈS

ANTIGUA-ET-BARBUDA

SAN JUAN

PORTO RICO

tabac

SAINT-DOMINGUE

MONTSERRAT (ROYAUME-UNI)

GUADELOUPE (FRANCE)

tortue verte

KINGSTON

JAMAÏQUE

HAÏTI

PORT-AU-PRINCE

DOMINIQUE

MARTINIQUE (FRANCE)

lamantin

voile

SAINTE-LUCIE

BARBADE

SAINT-VINCENT-ET-LES-GRENADINES

bananes

HONDURAS

coton

Mer des Antilles

GRENADE

café

tabac

NICARAGUA

café

PORT-D'ESPAGNE

TRINITÉ-ET-TOBAGO

Canal de Panama

COSTA RICA

SAN JOSÉ

PANAMA

cacao

café

PANAMA

bois

toucan

Le savais-tu ?

◆ Mexico est construite sur le site d'une ancienne cité bâtie en 1325, Tenochtitlán. Avec son agglomération de plus de 21 millions d'habitants, Mexico est l'une des plus grandes villes du monde.

◆ Le nom « Guatemala » signifie « pays des arbres » en Maya-Toltèque.

◆ L'île d'Antigua compte 365 plages... une pour chaque jour de l'année !

◆ Cuba possède plein de grottes calcaires. La Cueva del Gato Jibaro mesure 11 km de long, et la Cueva Santa Catalina est célèbre pour ses formations minérales en forme de champignons géants.

L'Amérique du Sud (partie nord)

Les paysages de cette région sont variés : montagne et désert à l'ouest, forêt tropicale dans le nord et l'est. Les Andes, qui longent la côte ouest du continent, sont riches en minerais tels que l'argent, le zinc et le fer. L'Amazone prend sa source dans les hauts sommets du Pérou, puis traverse le Brésil. Des centaines de petits cours d'eau le grossissent au Pérou, en Bolivie, en Équateur, en Colombie et au Venezuela.

Les plateaux des Guyanes s'étendent sur le Venezuela, le Guyana, le Surinam et la Guyane française. La forêt tropicale en recouvre la majeure partie, avec de petites zones de prairie. Le plus riche pays de la région, le Venezuela, est l'un des plus grands producteurs de pétrole au monde.

La population sud-américaine est fille des Amérindiens et des Européens venus s'installer sur le continent il y a plus de 450 ans.

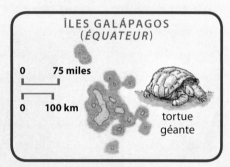

ÎLES GALÁPAGOS
(*ÉQUATEUR*)

0   75 miles

0   100 km

tortue géante

Gros plan sur...

 Les **tortues géantes** des Galápagos peuvent atteindre 1,5 mètre de long, peser jusqu'à 159 kilogrammes et vivre plus de 100 ans. Elles sont, hélas, aujourd'hui une espèce en voie de disparition.

 Le **panama**, célèbre chapeau, est fabriqué à partir de feuilles de jipijapa, une plante équatorienne.

 Gigantesque oiseau de la famille des vautours, le **condor** vit dans les Andes. Ses ailes ont une envergure incroyable de 3 m !

 Les derniers indiens **Cuiva** vivent en groupes dans les plaines de Colombie. Ils lèvent le camp toutes les quatre semaines, et vivent de chasse, pêche et cueillette.

 Les ruines de l'antique cité inca de **Machu Picchu**, découvertes en 1911, sont un haut lieu touristique au Pérou.

 Les indiens **Aymara** vivent dans les Andes. Ils pêchent dans le lac Titicaca, à bord de barques en roseau.

 Le **tatou** est un animal fouisseur qui se roule en boule afin de se protéger en cas de danger. Son dos et ses flancs sont couverts de plaques dures.

 Les **chutes** de Salto Angel, au Venezuela, sont les plus hautes au monde : elles mesurent 975 mètres.

 Le **poivre de Cayenne** est tiré d'une plante cultivée dans la région de Cayenne, chef-lieu de la Guyane française.

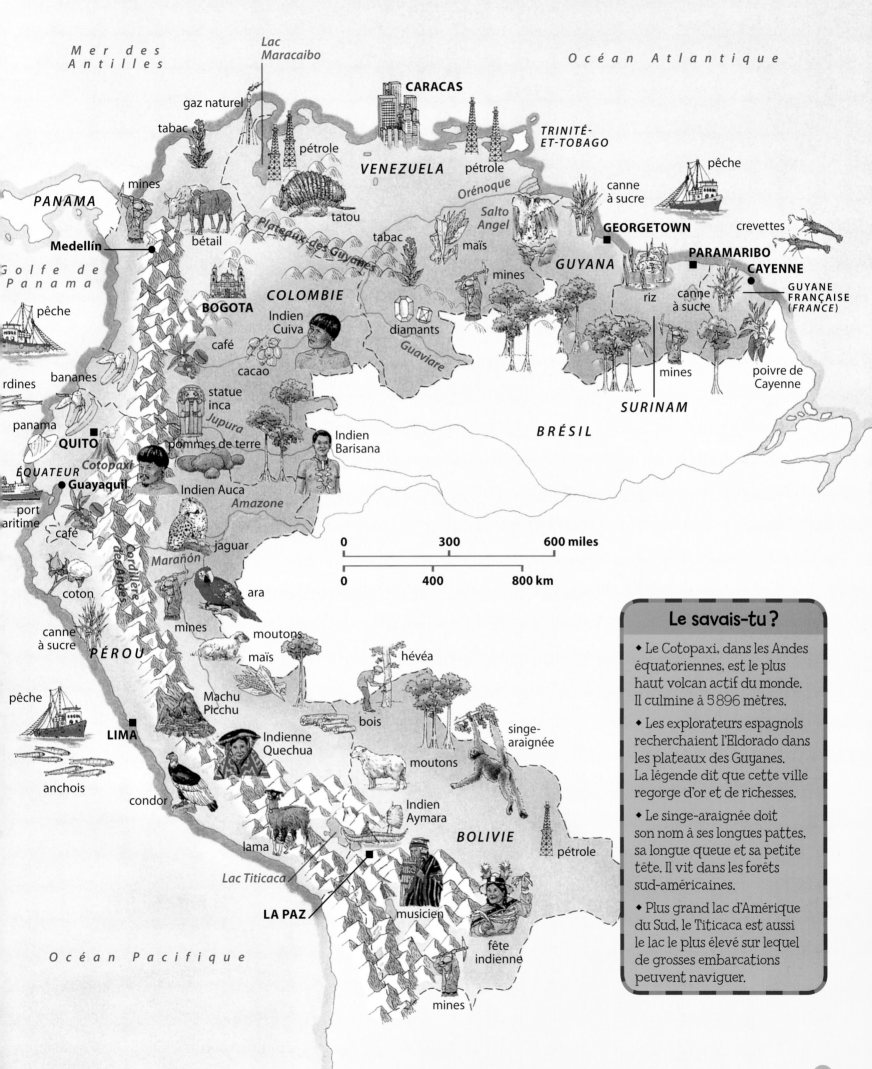

Mer des Antilles

Océan Atlantique

Lac Maracaibo

CARACAS

gaz naturel

tabac

pétrole

mines

VENEZUELA

pétrole

TRINITÉ-ET-TOBAGO

Orénoque

Salto Angel

canne à sucre

pêche

PANAMA

bétail

tatou

tabac

maïs

GEORGETOWN

crevettes

Golfe de Panama

Medellín

COLOMBIE

mines

GUYANA

PARAMARIBO

CAYENNE

pêche

BOGOTA

Indien Cuiva

café

cacao

diamants

Guaviare

riz

canne à sucre

GUYANE FRANÇAISE (*FRANCE*)

rdines

bananes

statue inca

Jupura

mines

poivre de Cayenne

panama

pommes de terre

Indien Barisana

SURINAM

QUITO

BRÉSIL

ÉQUATEUR

Cotopaxi

Indien Auca

Guayaquil

Amazone

port aritime

café

jaguar

Marañón

| 0 | 300 | 600 miles |

| 0 | 400 | 800 km |

coton

mines

ara

moutons

maïs

hévéa

singe-araignée

canne à sucre

PÉROU

pêche

Machu Picchu

bois

moutons

LIMA

Indienne Quechua

anchois

condor

Indien Aymara

BOLIVIE

lama

pétrole

Lac Titicaca

LA PAZ

musicien

fête indienne

Océan Pacifique

mines

Le Brésil

Le plus grand pays d'Amérique du Sud, le Brésil, possède la plus vaste forêt tropicale au monde. L'Amazone la traverse, et quelques tribus indiennes y vivent encore. Les principales villes du pays se trouvent au sud. São Paulo est la plus grande. Quant à Rio de Janeiro, elle est connue pour ses célèbres plages et son carnaval annuel. En 1960, la ville nouvelle de Brasília est devenue la capitale du Brésil.

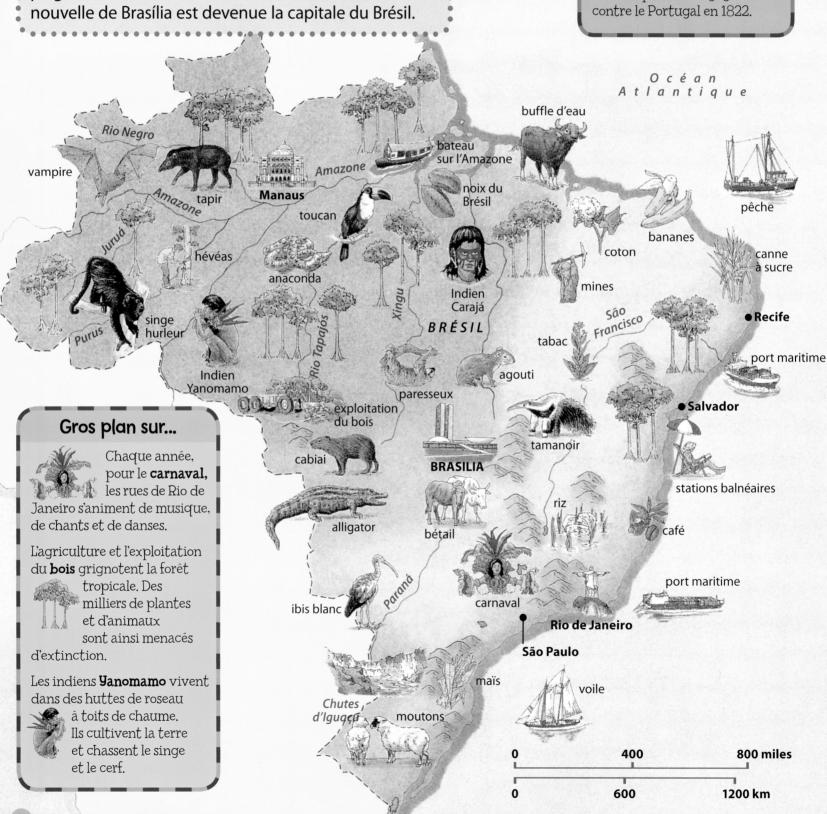

Gros plan sur...

Chaque année, pour le **carnaval**, les rues de Rio de Janeiro s'animent de musique, de chants et de danses.

L'agriculture et l'exploitation du **bois** grignotent la forêt tropicale. Des milliers de plantes et d'animaux sont ainsi menacés d'extinction.

Les indiens **Yanomamo** vivent dans des huttes de roseau à toits de chaume. Ils cultivent la terre et chassent le singe et le cerf.

Océan Atlantique

Rio Negro

vampire

Amazone

tapir

Juruá

héveas

singe hurleur

Purus

Indien Yanomamo

anaconda

toucan

Manaus

Amazone

Xingu

Rio Tapajós

cabiai

exploitation du bois

alligator

ibis blanc

Paraná

Chutes d'Iguaçu

moutons

maïs

bateau sur l'Amazone

buffle d'eau

noix du Brésil

Indien Carajá

BRÉSIL

paresseux

agouti

tabac

São Francisco

tamanoir

BRASILIA

bétail

riz

carnaval

São Paulo

Rio de Janeiro

voile

coton

bananes

mines

pêche

canne à sucre

●**Recife**

port maritime

●**Salvador**

stations balnéaires

café

port maritime

0   400   800 miles

0   600   1200 km

L'Amérique du Sud (partie sud)

Les Andes parcourent le Chili et l'Argentine jusqu'à la pointe du continent sud-américain. Elles dominent le Chili, étroit pays tout en longueur situé sur la côte Pacifique. À l'est s'étendent les vastes prairies de l'Argentine, du Paraguay et de l'Uruguay, où paissent les troupeaux de bovins et d'ovins. Blé et maïs poussent dans la Pampa – les plaines d'Argentine. Il existe d'importantes réserves de pétrole et de gaz dans le sud. Le climat y est plus froid qu'au nord. On y trouve nombre de lacs, de cascades et de volcans.

Comme dans le reste du continent, la population de ces pays descend pour l'essentiel des Amérindiens et des colons espagnols. La plupart vivent dans des grandes villes. Les capitales de l'Argentine, du Chili et de l'Uruguay (Buenos Aires, Santiago et Montevideo) rassemblent ainsi un tiers de la population de chaque pays.

Gros plan sur...

Le **figuier de Barbarie** pousse dans les déserts des deux Amériques.

Les cow-boys argentins sont appelés des **gauchos.** Leurs troupeaux paissent dans la Pampa.

Le **football** est le sport roi en Amérique du Sud. L'Uruguay et l'Argentine ont remporté deux fois la coupe du monde. Le Brésil... cinq fois!

La plus longue chaîne de montagnes au monde, **les Andes,** s'étendent sur environ 7 000 kilomètres.

Le savais-tu?

◆ Les îles de la Terre de Feu sont partagées entre le Chili (à l'ouest) et l'Argentine (à l'est).

◆ Lamas, guanacos, alpagas et vigognes appartiennent tous à la famille des chameaux.

◆ L'araucaria, arbre du Chili et de l'Argentine, voisin du pin, possède des branchages très complexes.

◆ Avant de mourir, José Artigas, père de l'indépendance uruguayenne, aurait demandé qu'on lui apporte un cheval, pour qu'il puisse mourir sur une selle.

BOLIVIE

BRÉSIL

pêche

figuier de Barbarie

Indien Guaraní

PARAGUAY

coton

Antofagasta

volcan

ASUNCIÓN

mines

bois

bœufs

canne à sucre

football

tricots

CHILI

maïs

port maritime

agrumes

URUGUAY

SANTIAGO

vignes

moutons

mines

blé

MONTEVIDEO

ARGENTINE

merganette des torrents

Pampa

BUENOS AIRES

pêche

bœufs

port maritime

vaches laitières

gaucho

manchot

guanaco

Océan Atlantique

pétrole

orque

araucaria

moutons

MALOUINES (ROYAUME-UNI)

manchot

PORT STANLEY

pétrole

Océan Pacifique

Terre de Feu

otarie à fourrure

MADÈRE
(PORTUGAL)

Océan
Atlantique

ÎLES CANARIES
(ESPAGNE)

pêche

Ceuta (ESPAGNE)
Melilla (ESPAGNE)

pêche

ALGER
vignes
blé
TÛNIS
olives

Mer
Méditerr

agrumes
RABAT
MAROC
argent
agrumes
TUNISIE
tapis
TRIPOLI
ga
nature

vignes
moutons
pêches et
abricots
ruines
antiques

• **Marrakech**
Atlas
village fortifié
berbère
dattes
pétrole
pétro

dattes
gaz naturel

EL AAIÚN
gerboise
chèvres
garçon
lybien

dattes
gazelle
ALGÉRIE
Désert
du Sahara
LIBYE

SAHARA
OCCIDENTAL
mines
Hoggar
gazelle

dattes
Touareg
Tibesti

femme
maure
mines de sel
Touareg

MAURITANIE
MALI
bœufs
moutons
mines
NIGER
mines de sel
sorgho

NOUAKCHOTT
cacahuètes
sorgho
coton
chacal

DAKAR
pêche
moutons
village
Dogon
• **Tombouctou**
Niger
moutons
Wodaabe
bœufs
coton

poivrons
rouges
igname
coton
sorgho
coton
bœu

SÉNÉGAL
Sénégal
cacahuètes
coton
NIAMEY

BANJUL
GAMBIE
buffle
maïs
mines
Lac
Tchad
N'DJAMÉNA

BISSAU
GUINÉE-BISSAU
BAMAKO
café
OUAGADOUGOU
BURKINA FASO
coton
NIGERIA
cacahuètes
Chari

GUINÉE
bananes
tabac
Volta
BÉNIN
manioc
cacao
ABUJA
bois

CONAKRY
café
danseur
tribal
TOGO
café
charbon
colobe

FREETOWN
SIERRA LEONE
caoutchouc
GHANA
or
café
caoutchouc
café

MONROVIA
CÔTE
D'IVOIRE
LOMÉ
Lagos
CAMEROUN
gaz naturel
manioc
mille

LIBERIA
ACCRA
PORTO-NOVO
pétrole
YAOUNDÉ
BANGU

bananes
Abidjan
YAMOUSSOUKRO
pêche
cacao
bœufs

café

Gros plan sur...

Les **pyramides** d'Égypte sont les tombeaux des pharaons.

Des systèmes d'**irrigation** permettent une agriculture dans le désert de Libye.

Les **Touaregs**, nomades musulmans du Sahara, n'ont pas leur pareil pour monter les dromadaires.

Les longues pattes arrière de la **gerboise** lui permettent de fuir les prédateurs.

Les **caravanes** modernes remplacent les chameaux par des camions.

Le **Haut barrage d'Assouan** a été conçu pour maîtriser les crues du Nil.

L'Afrique (partie nord et ouest)

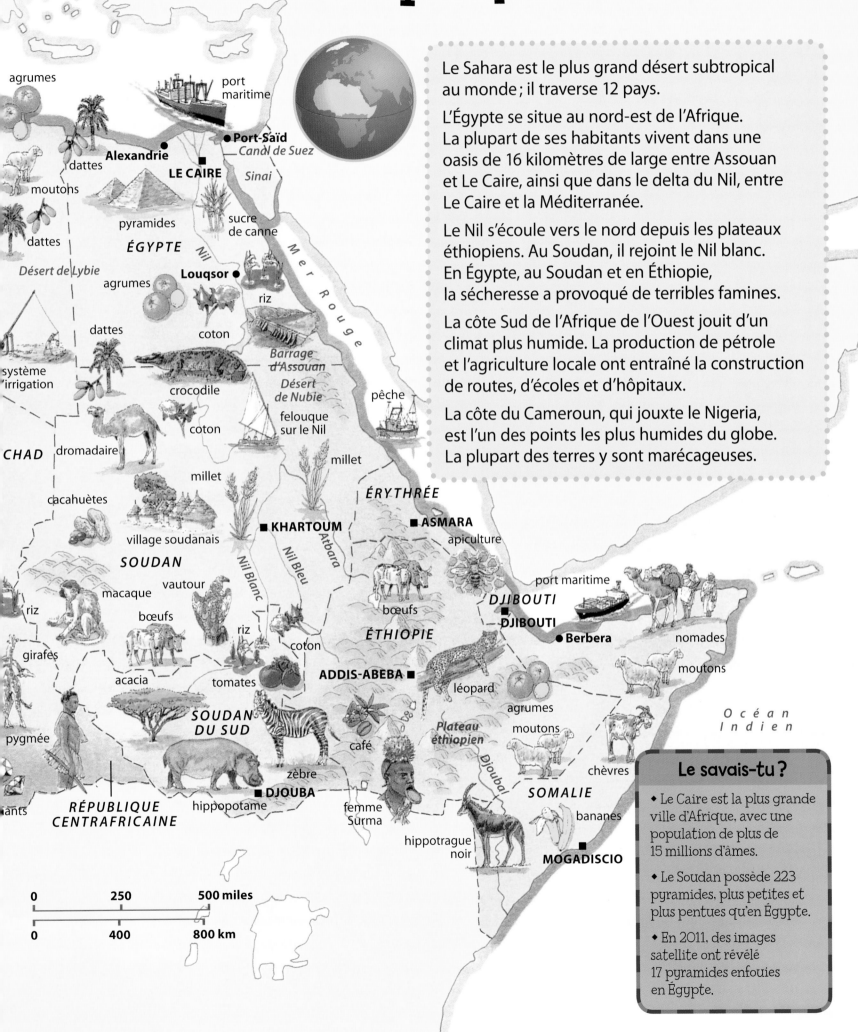

Le Sahara est le plus grand désert subtropical au monde ; il traverse 12 pays.

L'Égypte se situe au nord-est de l'Afrique. La plupart de ses habitants vivent dans une oasis de 16 kilomètres de large entre Assouan et Le Caire, ainsi que dans le delta du Nil, entre Le Caire et la Méditerranée.

Le Nil s'écoule vers le nord depuis les plateaux éthiopiens. Au Soudan, il rejoint le Nil blanc. En Égypte, au Soudan et en Éthiopie, la sécheresse a provoqué de terribles famines.

La côte Sud de l'Afrique de l'Ouest jouit d'un climat plus humide. La production de pétrole et l'agriculture locale ont entraîné la construction de routes, d'écoles et d'hôpitaux.

La côte du Cameroun, qui jouxte le Nigeria, est l'un des points les plus humides du globe. La plupart des terres y sont marécageuses.

agrumes
port maritime
Alexandrie
Port-Saïd
Canal de Suez
dattes
LE CAIRE
Sinai
moutons
pyramides
sucre de canne
dattes
ÉGYPTE
Nil
Désert de Lybie
agrumes
Louqsor
riz
dattes
coton
système d'irrigation
crocodile
Barrage d'Assouan
Désert de Nubie
pêche
coton
felouque sur le Nil
CHAD
dromadaire
millet
millet
cacahuètes
ÉRYTHRÉE
village soudanais
KHARTOUM
ASMARA
apiculture
SOUDAN
Nil Blanc
Nil Bleu
Atbara
port maritime
riz
macaque
vautour
DJIBOUTI
bœufs
DJIBOUTI
bœufs
ÉTHIOPIE
Berbera
nomades
girafes
riz
coton
léopard
moutons
acacia
tomates
ADDIS-ABEBA
agrumes
SOUDAN DU SUD
café
Plateau éthiopien
moutons
pygmée
Océan Indien
zèbre
chèvres
Le savais-tu ?
DJOUBA
SOMALIE
RÉPUBLIQUE CENTRAFRICAINE
hippopotame
femme Surma
bananes
hippotrague noir
MOGADISCIO
Mer Rouge
Djouba

| 0 | 250 | 500 miles |
| 0 | 400 | 800 km |

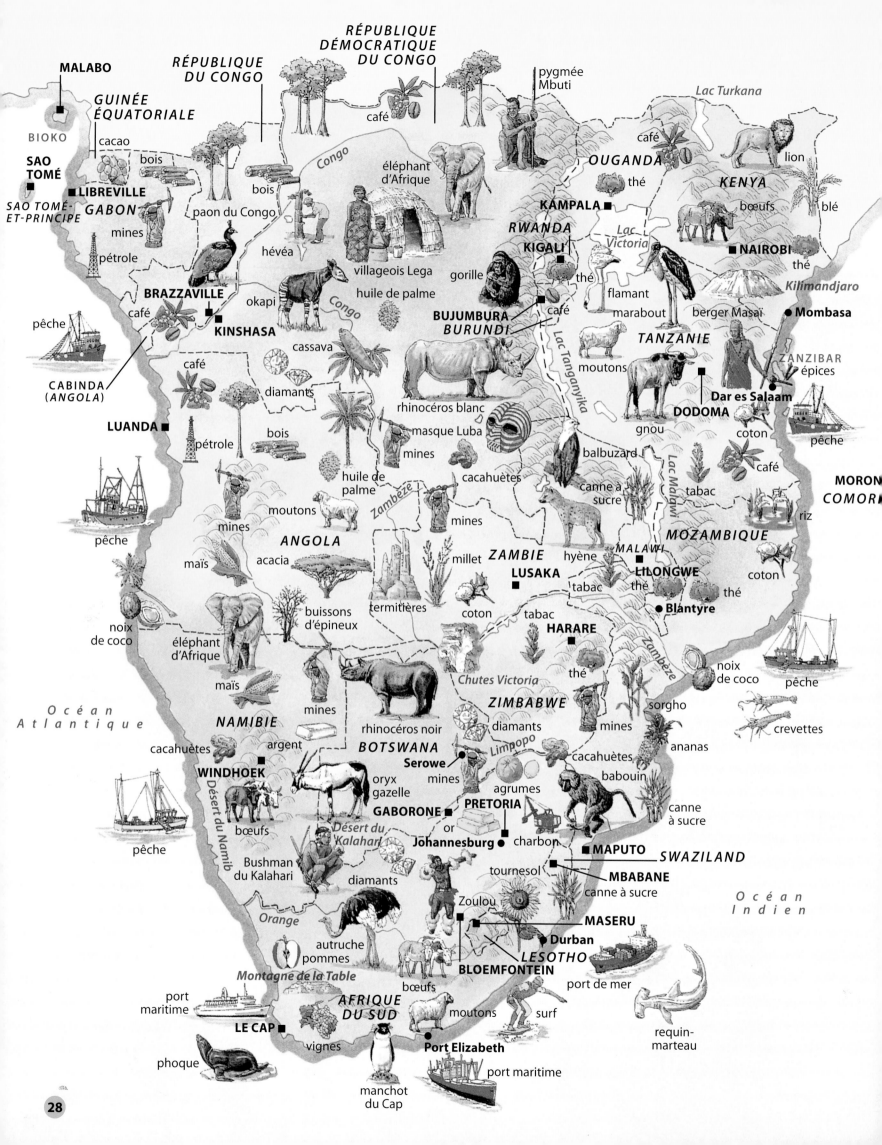

MALABO

GUINÉE ÉQUATORIALE

BIOKO

SAO TOMÉ

cacao

bois

LIBREVILLE

SAO TOMÉ-ET-PRINCIPE

GABON

mines

pétrole

BRAZZAVILLE

café

pêche

CABINDA (ANGOLA)

RÉPUBLIQUE DU CONGO

bois

paon du Congo

hévéa

okapi

KINSHASA

RÉPUBLIQUE DÉMOCRATIQUE DU CONGO

café

éléphant d'Afrique

villageois Lega

huile de palme

Congo

cassava

café

diamants

LUANDA

pétrole

bois

huile de palme

moutons

mines

ANGOLA

maïs

acacia

pêche

noix de coco

maïs

éléphant d'Afrique

buissons d'épineux

Zambèze

mines

NAMIBIE

cacahuètes

argent

WINDHOEK

bœufs

pêche

Désert du Namib

Orange

Désert du Kalahari

Bushman du Kalahari

diamants

autruche

pommes

Montagne de la Table

port maritime

LE CAP

phoque

vignes

AFRIQUE DU SUD

bœufs

manchot du Cap

rhinocéros blanc

masque Luba

mines

cacahuètes

millet

termitières

ZAMBIE

LUSAKA

coton

rhinocéros noir

mines

BOTSWANA

Serowe

mines

oryx gazelle

GABORONE

or

Johannesburg

charbon

diamants

Zoulou

moutons

surf

bœufs

Port Elizabeth

port maritime

pygmée Mbuti

café

OUGANDA

thé

KAMPALA

RWANDA

KIGALI

gorille

BUJUMBURA

BURUNDI

Lac Victoria

thé

café

flamant

marabout

moutons

gnou

Lac Tanganyika

café

Lac Turkana

KENYA

bœufs

blé

NAIROBI

thé

Kilimandjaro

berger Masaï

Mombasa

ZANZIBAR

épices

TANZANIE

Dar es Salaam

DODOMA

coton

pêche

balbuzard

canne à sucre

tabac

Lac Malawi

café

MOZAMBIQUE

riz

coton

MORON COMOR

hyène

MALAWI

LILONGWE

thé

Blantyre

thé

coton

tabac

HARARE

thé

Chutes Victoria

ZIMBABWE

diamants

mines

noix de coco

pêche

sorgho

ananas

cacahuètes

babouin

crevettes

PRETORIA

agrumes

canne à sucre

MAPUTO

SWAZILAND

tournesol

MBABANE

canne à sucre

MASERU

Durban

LESOTHO

BLOEMFONTEIN

port de mer

Océan Indien

requin-marteau

Océan Atlantique

28

L'Afrique (partie sud et est)

Le nord de cette région possède des forêts tropicales. Le fleuve Congo traverse la République démocratique du Congo pour aller se jeter dans l'océan Atlantique. À l'est, le Kenya et la Tanzanie sont connus pour leur faune extraordinaire : antilopes, zèbres, girafes, éléphants et rhinocéros peuplent la savane. Le Kilimandjaro, situé en Tanzanie, est le sommet du continent. Plus au sud, on trouve les déserts du Kalahari et du Namib.

La plupart des pays de la région sont riches en minerais. Le Zimbabwe possède ainsi de gros gisements de cuivre, de fer et d'or. En Afrique du Sud, on extrait charbon et diamants.

Depuis 1994, le système de l'Apartheid est aboli en Afrique du Sud. Ce système maintenait la majorité noire du pays en situation d'infériorité. Un nouveau gouvernement choisi pour l'ensemble de la population a alors été mis en place.

Enfin, l'île de Madagascar, dans l'océan Indien, abrite des espèces animales uniques tel que l'aye-aye et des lémuriens comme l'indri.

0	300	600 miles
0	500	1000 km

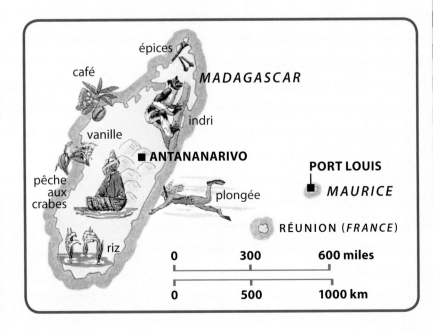

- épices
- café
- *MADAGASCAR*
- vanille
- indri
- pêche aux crabes
- ■ **ANTANANARIVO**
- plongée
- riz
- **PORT LOUIS**
  - ■ *MAURICE*
- RÉUNION (*FRANCE*)

0	300	600 miles
0	500	1000 km

Le savais-tu ?

- Les Watusi vivent au Rwanda et au Burundi. Ils comptent parmi les plus grands hommes du monde : ils mesurent près de deux mètres !

- En 1867, des enfants qui jouaient au bord du fleuve Orange ont découvert le premier diamant d'Afrique du Sud. Quelques années plus tard, les mines de Kimberley ouvraient.

- Le sud de l'Afrique abrite le rhinocéros noir et le gorille des montagnes, espèces menacées.

- Les pêcheurs de Madagascar utilisent filets et paniers pour attraper les crabes dans les estuaires et les lagons autour de l'île.

Gros plan sur...

 Les **gorilles** des forêts tropicales ont l'air féroce, mais ils ne sont dangereux que si on les provoque.

 Les mineurs font sauter des rochers ou creusent la terre pour trouver des **diamants** qu'il faut ensuite tailler.

Les **Bochimans** du Kalahari vivent dans le désert. Les femmes collectent racines et baies ; les hommes chassent.

 Les **Zoulous** (plus grande ethnie africaine d'Afrique du Sud) travaillent pour la plupart en ville, aujourd'hui.

 Aux **chutes Victoria**, le Zambèze effectue une plongée de 108 mètres dans une gigantesque gorge.

 Le **balbuzard** vit près des lacs et des rivières. Il saisit les poissons avec ses serres.

 Les **Massaï** gardent leurs troupeaux dans les prairies du Kenya et de la Tanzanie.

 D'un naturel calme, le **rhinocéros** peut charger à 50 km/h s'il se sent menacé.

Les **termites** vivent en colonies. Ils construisent des nids géants, les termitières, à base de terre.

 Les **pygmées** Mbuti sont les plus petits hommes du monde. Leur taille moyenne est d'à peine 1,40 mètre.

Les anciens États de l'Union soviétique

port maritime

eider

brise-glace

Mer de Barents

● **Mourmansk**

pêche

ours polaire

port maritime

Mer Baltique

LETTONIE

ESTONIE

■ **TALLINN**

Saint-Pétersbourg

LITUANIE

pommes

■ **RIGA**

mines

VILNIUS

BIÉLORUSSIE

Lac Ladoga

ballet

gaz naturel

■ **MINSK**

RUSSIE

cochons

orge

bois

Iénisseï

Dniepr

UKRAINE

pétrole

■ **KIEV**

MOSCOU

vaches laitières

MOLDAVIE

tournesols

CHIȘINĂU ■

pommes de terre

● **Perm**

vaches laitières

pommes de terre

icône religieuse

Nijni Novgorod

● **Kazan**

Oural

blé

Mer Noire

betterave à sucre

Ob

Sébastopol

blé

Volga

● **Iekaterinbourg**

costume traditionnel

Samara

pétrole

moutons

mines

ours brun

stations balnéaires

cochons

thé

tabac

blé

● **Omsk**

joueurs d'échecs

vignes

GÉORGIE

pêche

TBILISSI ■

chèvres

cosmodrome de Baïkonur

chameau

mines

■ **ASTANA**

EREVAN ■

ARMÉNIE

Mer Caspienne

KAZAKHSTAN

Irtych

AZERBAÏDJAN

■ **BAKOU**

Mer d'Aral

riz

pétrole

Lac Balkhach

esturgeon

Syr-Darya

tabac

vignes

betterave à sucre

danseur

CHINE

coton

TACHKENT ■

léopard des neiges

ACHGABAT ■

TURKMÉNISTAN

BICHKEK

Samarcande

tapis

OUZBÉKISTAN

KIRGHIZISTAN

coton

DOUCHANBÉ

TADJIKISTAN

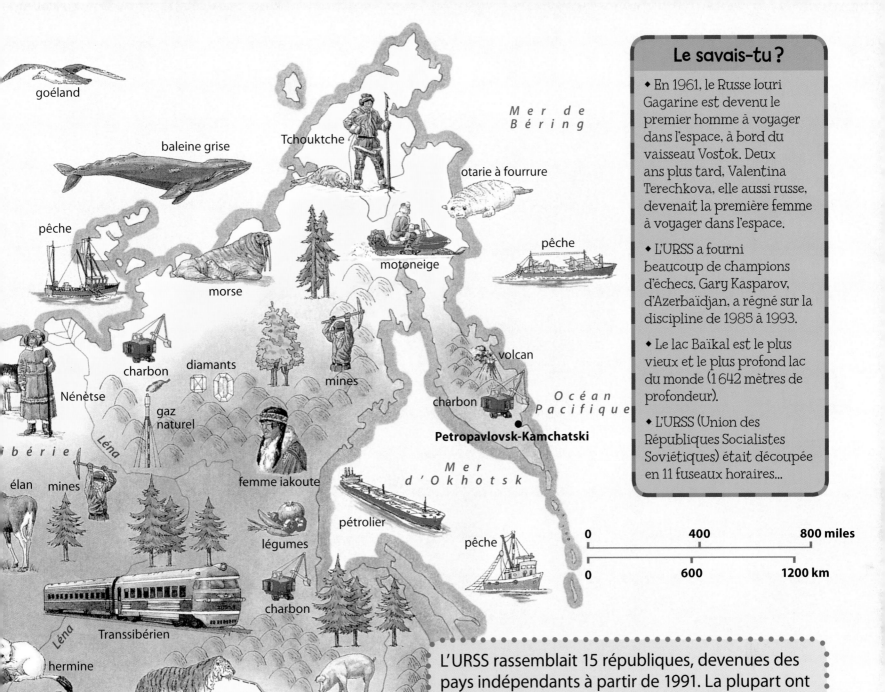

goéland

baleine grise

Tchouktche

Mer de Béring

otarie à fourrure

pêche

morse

motoneige

pêche

Nénètse

charbon

diamants

gaz naturel

Léna

mines

volcan

Océan Pacifique

charbon

charbon

Petropavlovsk-Kamchatski

ibérie

élan

mines

femme iakoute

Mer d'Okhotsk

légumes

pétrolier

pêche

hermine

charbon

Léna

Transsibérien

datchas

tigre de Sibérie

cochons

Irkoutsk

moutons

Oulan-Oude

Vladivostok

Lac Baïkal

Le savais-tu ?

• En 1961, le Russe Iouri Gagarine est devenu le premier homme à voyager dans l'espace, à bord du vaisseau Vostok. Deux ans plus tard, Valentina Terechkova, elle aussi russe, devenait la première femme à voyager dans l'espace.

• L'URSS a fourni beaucoup de champions d'échecs. Gary Kasparov, d'Azerbaïdjan, a régné sur la discipline de 1985 à 1993.

• Le lac Baïkal est le plus vieux et le plus profond lac du monde (1 642 mètres de profondeur).

• L'URSS (Union des Républiques Socialistes Soviétiques) était découpée en 11 fuseaux horaires...

0	400	800 miles

0	600	1200 km

L'URSS rassemblait 15 républiques, devenues des pays indépendants à partir de 1991. La plupart ont rejoint la Communauté des États Indépendants (CEI). La Russie est le plus vaste d'entre eux (et aussi le plus grand pays du monde). Elle s'étend de l'Europe jusqu'au nord de l'Asie en passant par l'Oural. Au nord-est, elle est séparée de l'Amérique du Nord par le détroit de Béring.

L'Oural traverse la Russie du nord au sud, marquant la frontière entre les continents européen et asiatique. Du côté européen, la population est plus dense et l'industrie plus développée que du côté asiatique. Les meilleures terres cultivables se trouvent au sud-ouest.

La Sibérie est une immense région qui s'étend de l'Oural jusqu'aux abords du Pacifique, et jusqu'au cercle polaire arctique. C'est la région de la taïga – les forêts de conifères.

Gros plan sur...

Le **Transsibérien** relie Moscou à Vladivostok en à peu près six jours.

Dans l'océan Arctique, d'immenses **brise-glaces** fraient un passage aux autres navires.

Les **Nénètses** possèdent des troupeaux de rennes. Ils vivent dans le nord de la Russie, près de l'Arctique.

L'esturgeon peut dépasser les 5 mètres de longueur. Ses œufs donnent le caviar.

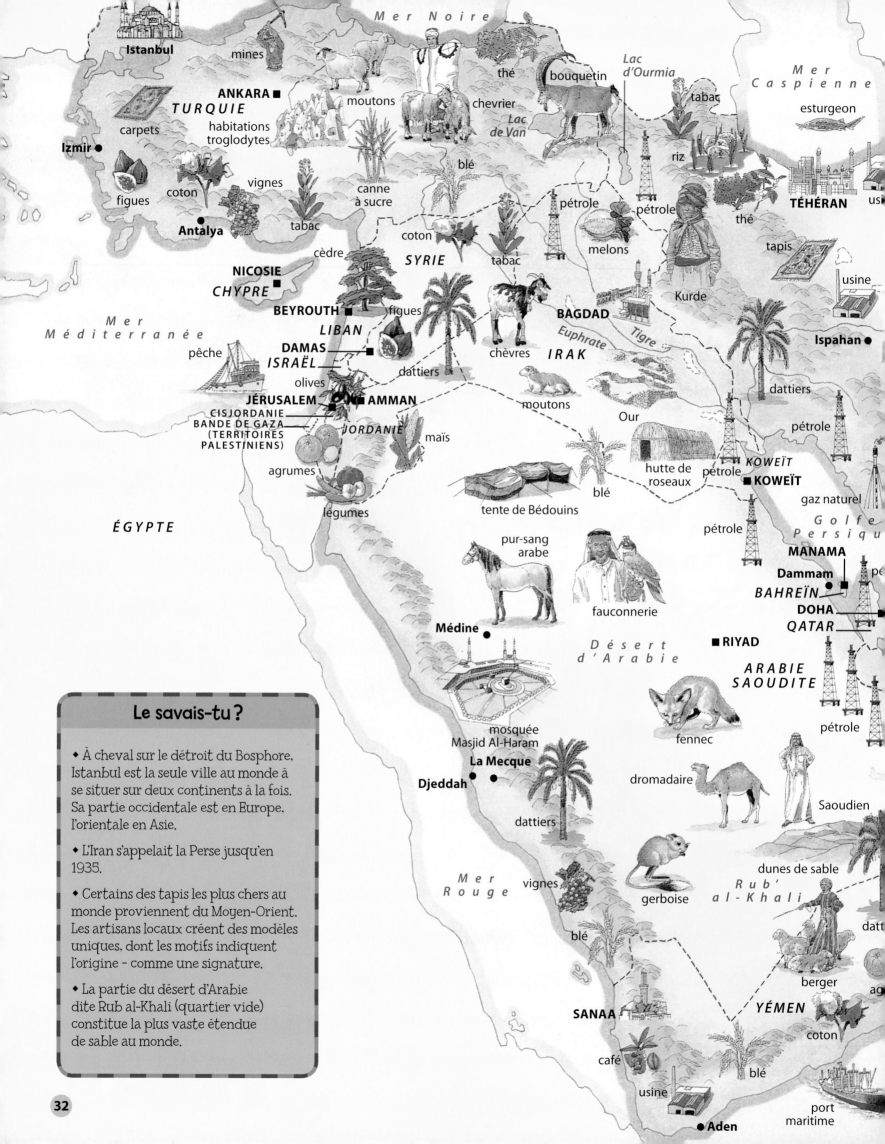

Mer Noire

Istanbul
mines

Mer Caspienne

thé
bouquetin

Lac d'Ourmia

ANKARA ■
TURQUIE
moutons
chevrier
tabac
esturgeon

carpets
habitations troglodytes
Lac de Van

Izmir ●
riz
pétrole
pétrole
tabac

vignes
blé
thé

figues
coton
canne à sucre
TÉHÉRAN
us

coton
pétrole
tapis

figues
cèdre
tabac

SYRIE
melons

NICOSIE ■
CHYPRE
Kurde
usine

BEYROUTH ■
figues
BAGDAD
Mer Méditerranée
Euphrate
Tigre

pêche
DAMAS
LIBAN
chèvres
Ispahan ●

ISRAËL
IRAK

olives
dattiers
dattiers

JÉRUSALEM ■
moutons
pétrole

CISJORDANIE
Our
AMMAN

BANDE DE GAZA
(TERRITOIRES
PALESTINIENS)
JORDANIE
maïs
pétrole
KOWEÏT

agrumes
hutte de roseaux
pétrole
KOWEÏT ■

ÉGYPTE
blé
gaz naturel

légumes
tente de Bédouins
pétrole
Golfe Persiqu

pur-sang arabe
MANAMA ■
Dammam
pé

fauconnerie
BAHREÏN
DOHA

Médine ●
QATAR

Désert d'Arabie
■ **RIYAD**

ARABIE SAOUDITE

mosquée
Masjid Al-Haram
fennec
pétrole

La Mecque ●
dromadaire

Djeddah ●
Saoudien

dattiers

dunes de sable

Rub' al-Khali

Mer Rouge
vignes
gerboise

blé
datt

berger

SANAA ●
YÉMEN
ag

coton

café
blé

usine
port maritime

● Aden

32

Le Moyen-Orient

moutons

IRAN

Iranienne

chèvres

mosquée
de l'Imam

âne sauvage

ruines
antiques

pétrolier

OMAN

dattiers

● Dubaï   ÉMIRATS ARABES UNIS

pétrole

pétrole

ABOU
DHABI

MASCATE

lamantin

gaz naturel

dattiers

Mer
d'Arabie

orpion

OMAN

oryx d'Arabie

pêche

tabac

vignes

0	200	400 miles

0	300	600 km

SOCOTRA

Le Moyen-Orient couvre une bonne part du
sud-ouest de l'Asie et du nord-est de l'Afrique.
Surnommé le « berceau de la civilisation », il a
vu naître de nombreuses civilisations antiques,
ainsi que trois grandes religions : le judaïsme,
le christianisme et l'islam. La population est
majoritairement musulmane. La plupart des
Israéliens pratiquent le judaïsme. La Terre sainte
de Palestine, sacrée pour les fidèles des trois
religions, est située en Israël et en Jordanie.

L'immense désert d'Arabie traverse l'Arabie
saoudite, la Jordanie, Oman, le Yémen et les
Émirats arabes unis. Le pétrole contenu dans
son sous-sol et dans le golfe Persique a fait
la fortune de ces pays.

À travers l'histoire, les querelles religieuses et
les questions de territoires et de ressources ont
entraîné des conflits dans la région. Certains
ne sont toujours pas réglés à ce jour.

Gros plan sur...

 Tribus
nomades du
désert d'Arabie, les **Bédouins**
vivent sous des tentes qu'ils
peuvent déplacer.

 L'Arabie saoudite
possède les plus
grandes réserves
de **pétrole** au monde. Le
précieux liquide est chargé
sur des pétroliers puis
exporté.

 Les ruines d'**Our**
(sud de l'Irak)
évoquent l'une
des plus importantes cités
de l'antique civilisation
sumérienne.

 Les vents du
désert entraînent
la formation de
dunes de sable, qui changent
de forme et de taille suivant la
force et la direction des vents.

 Les **Kurdes** habitent la
région montagneuse
aux confins de l'Irak, de
la Turquie et de l'Iran.

 La **fauconnerie** est
une forme de chasse
traditionnelle en
Arabie saoudite. On dresse les
faucons à ne chasser que sur
ordre de leurs maîtres.

thé

bois

moine
bouddhiste

temple

éléphant
au travail

bois

fermier

CHINE

TAÏWAN

Océan
Pacifique

Mandalay

cacahuètes

MYANMAR
(BIRMANIE)

tabac

riz

RANGOUN

Irrawaddy

VIENTIANE

Chiangmai

café

bambou

HAINAN

riz

HANOÏ

agrumes

rascasse

riz

nacre

mines

jute

THAÏLANDE

riz

café

riz

canne à sucre

mangues

LAOS

pêche

port
maritime

MANILLE

ananas

pélican

BANGKOK

CAMBODGE

bœufs

PHILIPPINES

charbon

caoutchouc

Angkor

bananes

noix
de coco

riz

pêche

pêche

macaque

mines

PHNOM
PENH

Ô-Chi-Minh-Ville
Hô-Chi-Minh-Ville

VIÊT NAM

riz

port
maritime

Mer de Chine
méridionale

canne à sucre

caoutchouc

pêche

BRUNEI

hévéas

tabac

huile de
palme

pétrole

BANDAR SERI
BEGAWAN

SABAH (MALAISIE)

poivrons

maïs

gaz naturel

MALAISIE

KUALA LUMPUR

bananes

noix de
coco

bois

maison traditionnelle

caoutchouc

Subang
Jaya

SINGAPOUR

SARAWAK
(MALAISIE)

noix de coco

SUMATRA

hévéas

Dayak

muscade

tapir

pétrole

nasique

BORNÉO

orang-outan

CÉLÈBES

riz

café

épices

charbon

café

riz

canne à sucre

pêche

INDONÉSIE

JAKARTA

rhinocéros

pêche

Océan Indien

volcans

maïs

BALI

FLORÈS

thé

DILI

JAVA

Surabaya

LOMBOK

SUMBA

dragon de
Komodo

TIMOR
ORIENTAL

0   300   600 miles

0   400   800 km

pêche

34

Le Sud-Est asiatique

L'Asie du Sud-Est se compose de plus de 20 000 îles. La plupart appartiennent à l'Indonésie et aux Philippines. Les premières sont disséminées entre l'Asie continentale et la pointe nord de l'Australie.

Certains pays de la région sont relativement peu développés. D'autres (Singapour, Malaisie, Brunei) ont utilisé leur industrie et leurs richesses en pétrole et minerai pour se développer.

La majeure partie de l'Asie du Sud-Est est recouverte par la forêt tropicale. La population – des agriculteurs pour l'essentiel – se regroupe près des côtes et dans les vallées fluviales. L'Indonésie, la Thaïlande, le Viêt Nam et le Myanmar comptent parmi les plus gros producteurs de riz au monde. La Malaisie, l'Indonésie et la Thaïlande sont les trois premiers exportateurs de caoutchouc.

Gros plan sur...

 Entre 6 et 13 ans, les garçons du Myanmar doivent suivre une **formation de moines,** afin d'apprendre à développer leur vie spirituelle.

 Principal produit agricole de la région, le **riz** se cultive souvent en terrasses – des grandes marches creusées à flanc de coteau.

 Le bois, notamment le **teck**, est un produit d'exportation important pour certains pays d'Asie du Sud-Est.

 Le sol **volcanique** de l'île indonésienne de Java, fertile, se prête très bien à l'agriculture.

 Le plus grand lézard du monde est le **dragon de Komodo.** Il vit sur les petites îles de la Sonde, en Indonésie. Il peut dépasser les 3 mètres. Sa morsure est mortelle.

 Le **caoutchouc** est fabriqué à partir du latex, une gomme récoltée sur l'hévéa (un arbre répandu dans la région).

 En Papouasie-Nouvelle-Guinée, la population construit des **maisons des esprits,** refuges contre la magie noire.

Singapour est une île-pays constituée d'une seule immense ville. Centre d'affaires important, destination touristique privilégiée, elle possède un port international.

Le savais-tu ?

◆ L'Indonésie est le plus grand producteur d'étain au monde. On extrait également ce métal en Thaïlande et en Malaisie.

◆ Les temples d'Angkor (Cambodge) ont été bâtis entre les IXe et XIIe siècles. Leurs murs sont ornés d'images gravées à la main, illustrant des récits de l'empire khmer.

◆ Les typhons (violents orages tropicaux) sont courants dans les Philippines.

◆ Dans les forêts de Thaïlande, les éléphants sont encore utilisés pour promener les touristes, mais aussi pour déplacer les arbres abattus.

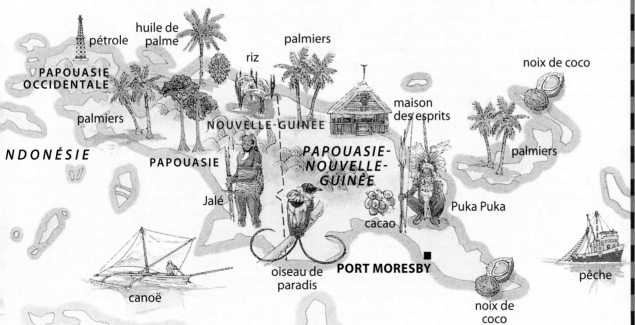

Océan Pacifique

pétrole — huile de palme — palmiers — riz — palmiers

PAPOUASIE OCCIDENTALE

palmiers

NOUVELLE-GUINÉE

INDONÉSIE

PAPOUASIE

PAPOUASIE-NOUVELLE-GUINÉE

Jalé

maison des esprits

noix de coco

palmiers

Puka Puka

cacao

oiseau de paradis

PORT MORESBY

canoë

noix de coco

pêche

AUSTRALIE

La péninsule Indienne

gaz naturel

AFGHANISTAN

tapis

berger

grenades

Kandahar ●

nat

blé

polo

IRAN

coton

PAKISTAN

moutons

riz

Karachi

Mer d'Arabie

Au nord de l'Inde s'élèvent les sommets enneigés de l'Himalaya, où se trouvent les royaumes du Bhoutan et du Népal. Les montagnes sont peu peuplées, contrairement aux plaines de l'Inde, du Pakistan et du Bangladesh. Les villes indiennes de Mumbai (Bombay), Delhi, Bangalore et Calcutta abritent des millions d'habitants. Les plaines centrales s'assèchent à la saison chaude. Les pluies interviennent de juin à octobre.

La plupart des Bangladais sont agriculteurs. Le pays est notamment un producteur important de jute, riz et fruits tropicaux. L'industrie textile emploie de nombreuses personnes.

Les religions hindoue et bouddhiste sont nées dans la région. L'Inde compte un grand nombre d'hindous, tandis que Pakistanais et Bangladais sont majoritairement musulmans.

Le savais-tu ?

• Les tigres vivaient autrefois librement dans les forêts de l'Inde. Aujourd'hui, ils sont menacés à cause de la chasse et de la diminution des forêts, malgré la protection des lois.

• Bénarès est une ville sainte qui attire des pèlerins de différentes religions. On vient de toute l'Asie du Sud pour se baigner dans le Gange. Les Hindous croient en effet que le fleuve est sacré et qu'il les purifiera.

• Petit animal féroce, la mangouste se nourrit de grenouilles, d'oiseaux, de lézards et de leurs œufs, qu'elle projette contre des pierres pour les casser. La mangouste grise d'Inde peut même tuer un cobra.

• Indépendante de la Grande-Bretagne depuis 1947, l'Inde a été scindée en deux pays : l'Inde et le Pakistan.

• À eux deux, le Sri Lanka et l'Inde sont les deux plus gros producteurs de thé de la région. Télécommunications, tourisme, textile, chimie et acier sont les autres piliers de l'économie indienne.

• Les sherpas sont des agriculteurs népalais, qui officient souvent comme guides dans l'Himalaya. En 1953, le sherpa Tenzing Norgay a gravi l'Everest en compagnie du Néo-zélandais Edmund Hillary. C'était la première ascension recensée du toit du monde.

Gros plan sur...

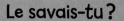 Les **tapis** traditionnels afghans sont fabriqués à partir de laine de chèvre et de mouton. La laine est teinte et filée, puis tissée sur des métiers.

 Le mont **Everest**, dans l'Himalaya, se situe à la frontière entre le Népal et le Tibet. Ses 8 848 mètres d'altitude en font le plus haut sommet du monde.

 Pour les Hindous, les **vaches** sont sacrées : ils ne les tuent et ne les mangent jamais.

 Le **thé** provient de feuilles de théier, torréfiées après la cueillette. On cultive abondamment le théier en Inde et au Sri Lanka.

 Le **polo** se pratique depuis des siècles au Pakistan. Deux équipes de cavaliers munis de maillets cherchent à pousser une balle dans le but.

 Le **Taj Mahal** (« palais de la couronne ») a été édifié par l'empereur Chah Djahan en souvenir de son épouse.

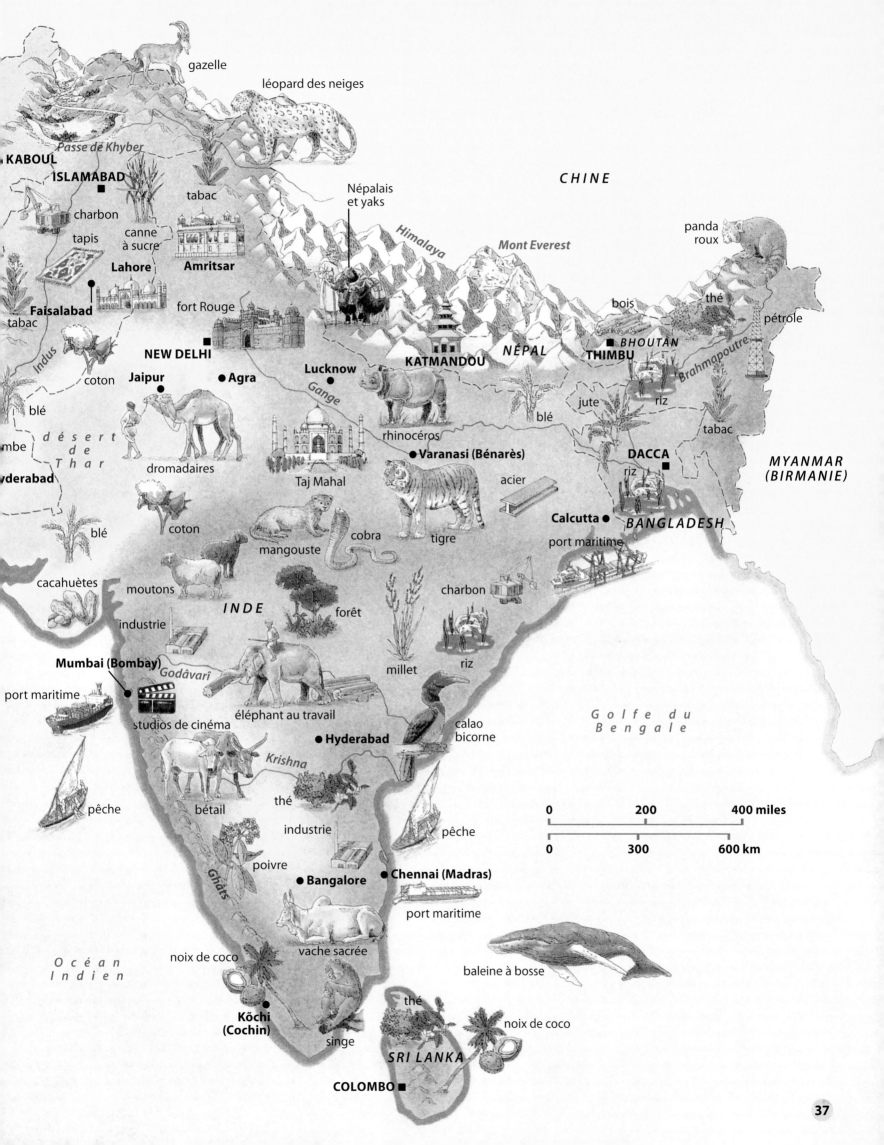

gazelle

léopard des neiges

Passe de Khyber

CHINE

KABOUL

ISLAMABAD ■

charbon

tabac

tapis

canne à sucre

Lahore

Amritsar

Népalais et yaks

Himalaya

Mont Everest

panda roux

bois

thé

pétrole

Faisalabad

tabac

fort Rouge

Indus

coton

NEW DELHI ■

Jaipur

Agra

Lucknow

Gange

KATMANDOU

NÉPAL

THIMBU ■

BHOUTAN

jute

riz

Brahmapoutre

tabac

blé

blé

yderabad

désert de Thar

dromadaires

Taj Mahal

rhinocéros

Varanasi (Bénarès) ●

acier

DACCA ■

riz

MYANMAR (BIRMANIE)

coton

cobra

tigre

Calcutta ●

BANGLADESH

blé

mangouste

port maritime

cacahuètes

moutons

INDE

forêt

charbon

riz

industrie

millet

Mumbai (Bombay)

Godâvarî

port maritime

studios de cinéma

éléphant au travail

calao bicorne

Golfe du Bengale

Hyderabad ●

Krishna

bétail

thé

industrie

pêche

pêche

poivre

200

400 miles

Bangalore ●

Chennai (Madras) ●

Ghâts

300

600 km

port maritime

Océan Indien

noix de coco

vache sacrée

baleine à bosse

thé

noix de coco

Kôchi (Cochin)

singe

SRI LANKA

COLOMBO ■

La Chine et la Mongolie

À peine plus grande que la partie continentale des États-Unis d'Amérique, la Chine est quatre fois plus peuplée. Sa géographie très montagneuse et son climat sec contraignent plus de la moitié de la population à s'installer dans les villes du littoral, dans les plaines et le long des fleuves. Le sol de la région du Huang He (Fleuve Jaune) est parfait pour l'agriculture, mais la majorité de la population chinoise travaille en usine.

Beijing (Pékin) abrite plus de 19 millions d'habitants. Shanghai, la plus grande ville et le centre industriel et maritime du pays, en accueille davantage encore.

Au nord de la Chine se trouve la Mongolie, pays indépendant sans accès à la mer, et dont la majeure partie est occupée par le désert de Gobi, d'immenses prairies ou des montagnes. Les Mongols sont d'excellents cavaliers, qui suivent leurs troupeaux de moutons dans les plaines.

pétrole
femme ouïghour
pommes et poires
âne sauvage
melon
Tarim
mines
Désert de Taklamakan
chèvres
vignes
blé
pommes de terre
orge
sherpa tibétain
léopard des neiges
yaks
Himalaya
TIBET
Mont Everest
Lhassa
Potala

Gros plan sur...

 Le **yak** est une espèce de bœuf de l'Himalaya. Son poil est hirsute, ses cornes longues. Les Tibétains utilisent son lait pour fabriquer un beurre aigre, servi avec le thé.

 La **Grande Muraille de Chine** mesure environ 8 850 kilomètres de long. Elle protégeait la frontière nord du pays. Entre 200 av. J.-C. et le XVIᵉ siècle, de nombreuses sections ont été ajoutées par les différentes dynasties régnantes.

 Le **bambou** est la plus grande des herbes ; elle peut rivaliser en taille avec certains arbres. Les pandas géants de Chine s'en nourrissent.

 Les bâtiments du **Potala** dominent la ville de Lhassa, au Tibet. Ancien palais, c'est aujourd'hui un musée doté de plus de 1 000 salles. Lhassa est une ville sainte pour les bouddhistes du Tibet.

 Les **chameaux** de Bactriane des déserts de Chine et de Mongolie ont une fourrure épaisse et une corpulence trapue qui leur permettent de résister au froid. Hélas, ils ont presque disparu à l'état sauvage.

 Nombre de Mongols vivent dans des tentes de feutre rondes, les **yourtes**, qu'ils replient et chargent sur leurs chameaux pour se déplacer.

Le savais-tu ?

◆ En Chine, chaque année est associée à un animal : rat, bœuf, tigre, lapin, dragon, serpent, cheval, bélier, singe, coq, chien ou cochon.

◆ À elle seule, la Chine accueille environ un cinquième de la population mondiale.

◆ Hongkong est un grand centre portuaire et commercial.

◆ Une statue de 40 mètres de haut représentant le fondateur de l'empire mongol, Gengis Khan, se dresse à l'est de la capitale Oulan-Bator.

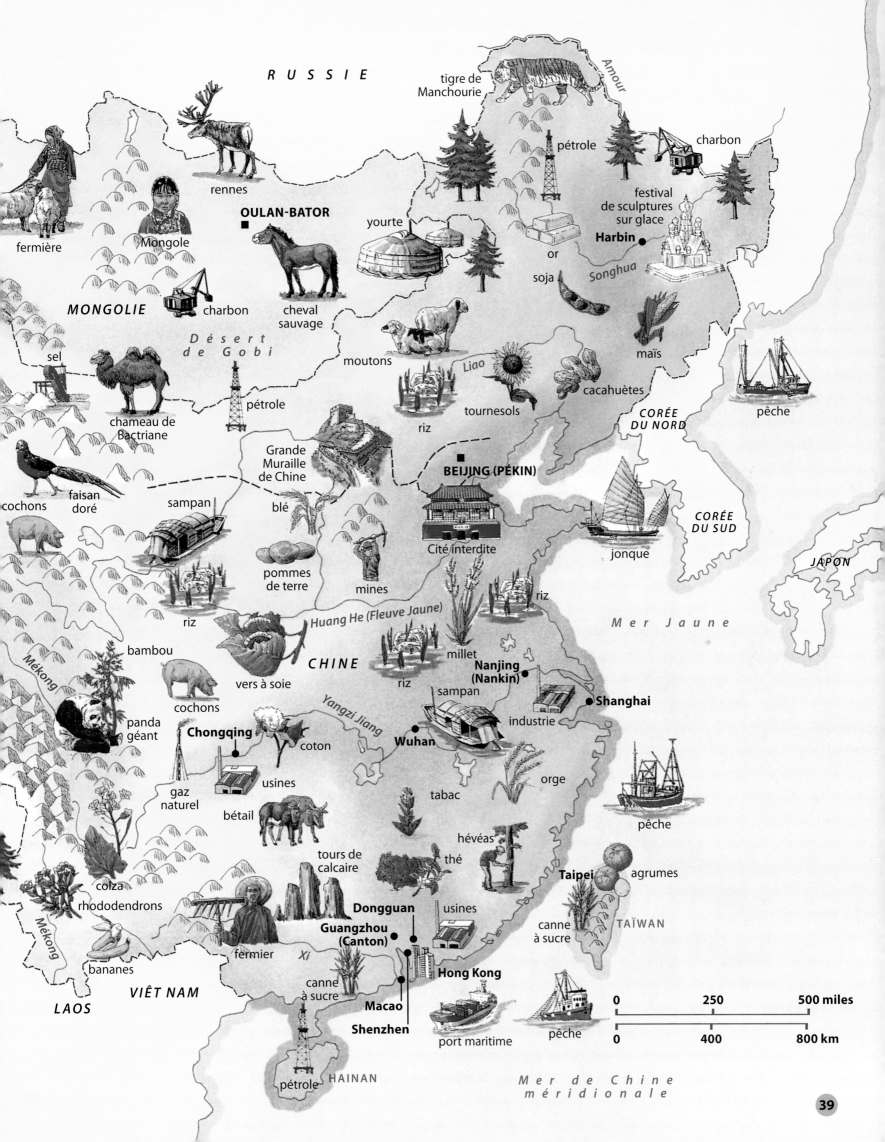

RUSSIE

tigre de
Manchourie

Amour

pétrole

charbon

rennes

festival
de sculptures
sur glace

OULAN-BATOR

yourte

Harbin

fermière

Mongole

or

soja

Songhua

MONGOLIE

charbon

cheval
sauvage

moutons

Liao

maïs

Désert
de Gobi

sel

cacahuètes

CORÉE
DU NORD

pétrole

chameau de
Bactriane

tournesols

riz

pêche

Grande
Muraille
de Chine

BEIJING (PÉKIN)

CORÉE
DU SUD

faisan
doré

sampan

blé

JAPON

cochons

Cité interdite

jonque

pommes
de terre

mines

riz

Mer Jaune

riz

Huang He (Fleuve Jaune)

millet

bambou

CHINE

Nanjing
(Nankin)

Mékong

riz

sampan

Shanghai

vers à soie

Yangzi Jiang

cochons

Wuhan

industrie

panda
géant

Chongqing

coton

orge

gaz
naturel

usines

tabac

pêche

bétail

hévéas

tours de
calcaire

thé

colza
rhododendrons

Taipei

agrumes

Dongguan

usines

canne
à sucre

TAÏWAN

Guangzhou
(Canton)

fermier

Xi

Hong Kong

bananes

Mékong

VIÊT NAM

canne
à sucre

Macao

LAOS

Shenzhen

port maritime

pêche

0   250   500 miles

0   400   800 km

pétrole

HAINAN

Mer de Chine
méridionale

39

Le Japon et la Corée

Le Japon se compose de quatre grandes îles (Hokkaido, Honshu, Shikoku et Kyushu) et de plus de 3 000 petites îles, souvent inhabitées. Une chaîne de montagnes volcaniques traverse le pays, causant de fréquents tremblements de terre.

Les îles du sud sont chaudes et humides, celles du nord froides. Montagnes et forêts recouvrent la majeure partie du pays. Le riz est le principal produit agricole, et la pêche une activité importante. Le Japon est l'un des premiers constructeurs de navires, de voitures et d'équipements électroniques. La plupart des citoyens jouissent d'un très bon niveau de vie.

En Corée du Nord, les hivers sont rudes, on cultive les pommes de terre et le maïs. Mines et industries y sont importantes. En Corée du Sud, le climat plus chaud se prête mieux à l'agriculture, mais le pays possède aussi de nombreuses usines, et exporte sa production dans le monde entier.

Le savais-tu ?

• Très proches de la nature, les Japonais aiment créer des paysages réalistes dans leurs jardins.

• La fleur du cerisier est la fleur nationale du Japon. Au printemps, les gens se pressent à Osaka pour admirer les cerisiers en fleur, dans des pavillons spécialement conçus à cet effet.

• Au début du XXIᵉ siècle, plus de 120 journaux paraissaient chaque jour au Japon, vendus à près de 72 millions d'exemplaires.

• Le mont Fuji est un volcan qui domine cinq lacs. Sa dernière éruption remonte à 1707. Les Japonais le tiennent pour sacré.

• Le gros de la population japonaise vit en ville. Douze d'entre elles dépassent le million d'habitants.

• À Gifu, dans la région du Chūbu, on pêche au cormoran. Les oiseaux sont attachés par de longues cordes aux bateaux. Ils plongent dans l'eau pour attraper des poissons, mais les laissent intacts grâce aux anneaux placés à leur cou.

• Au Japon, quand on se rend chez un particulier, on ôte ses chaussures en entrant. Une paire de pantoufles attend le visiteur, qui devra les retirer pour pénétrer dans les pièces équipées de matelas en paille.

CHINE

charbon

goral

bois

maïs

blé

riz

pommes de terre

CORÉE DU NORD

pêche

■ PYONGYANG

Baie de Corée

industrie

riz

charbon

faisan

SÉOUL ■

CORÉE DU SUD

costume traditionnel

tabac

pêche

bétail

charbo

thé

industrie

coton

Mer Jaune

construction navale

grue

HOKKAIDŌ

bois

mines

Sapporo

charbon

ours noir

Aïnous

pommes de terre

pêche

kétoupa

Gros plan sur...

 Le 5 mai, à l'occasion de la Journée des Enfants, les familles japonaises accrochent devant chez elles des **Koinobori** (des banderoles représentant une carpe).

 L'art antique du **sumo** est le sport national du Japon. Les sumotori sont très forts et pèsent en général plus de 150 kilogrammes.

 Premiers occupants du Japon, les **Aïnous** ne vivent plus aujourd'hui que sur Hokkaido.

 Le **Shinkansen** est le train le plus rapide du Japon, avec une vitesse de pointe de 300 kilomètres à l'heure.

 Les **macaques** sont des singes sauvages des montagnes enneigées du Japon. Même par grand froid, ils se baignent dans des sources d'eau chaude.

 Le célèbre **torii** de Miyajima s'élève à 16 mètres au-dessus de la mer. Il marque l'entrée d'un temple shintoïste.

fruits

koinobori (banderoles en forme de carpe)

cérémonie du thé

riz

pommes de terre

JAPON

cerisiers en fleurs

tabac

baleine bleue

Mer du Japon

macaque

riz

HONSHŪ

pêche

sumotori

Tone-gawa

pêche

temple du Pavillon d'or

cochons

bambou

Kiso

calmar

_Busan

Région du Chūbu

Shinkansen

Kyoto

TOKYO

Fuji Yama

industrie électronique

Nagoya

Yokohama

Kōbe

industrie automobile

statue de Bouddha

Osaka

blé

mines

agrumes

thé

Océan Pacifique

torii

SHIKOKU

pêche

0	100	200 miles

0	150	300 km

charbon

KYŪSHŪ

pétrolier

riz

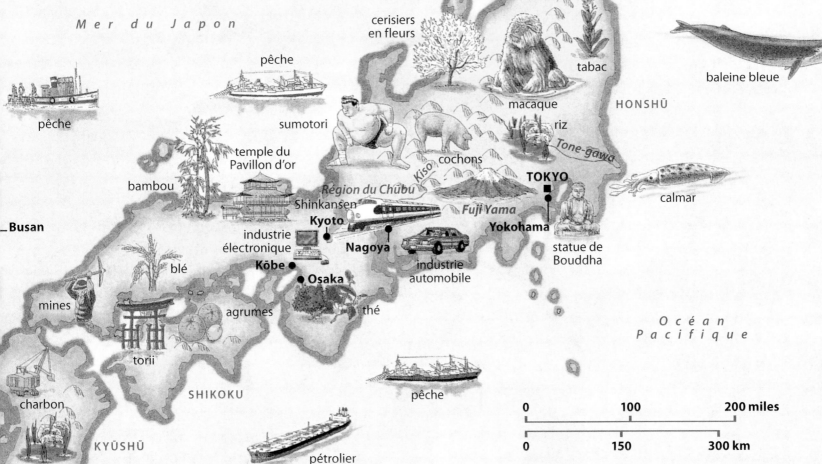

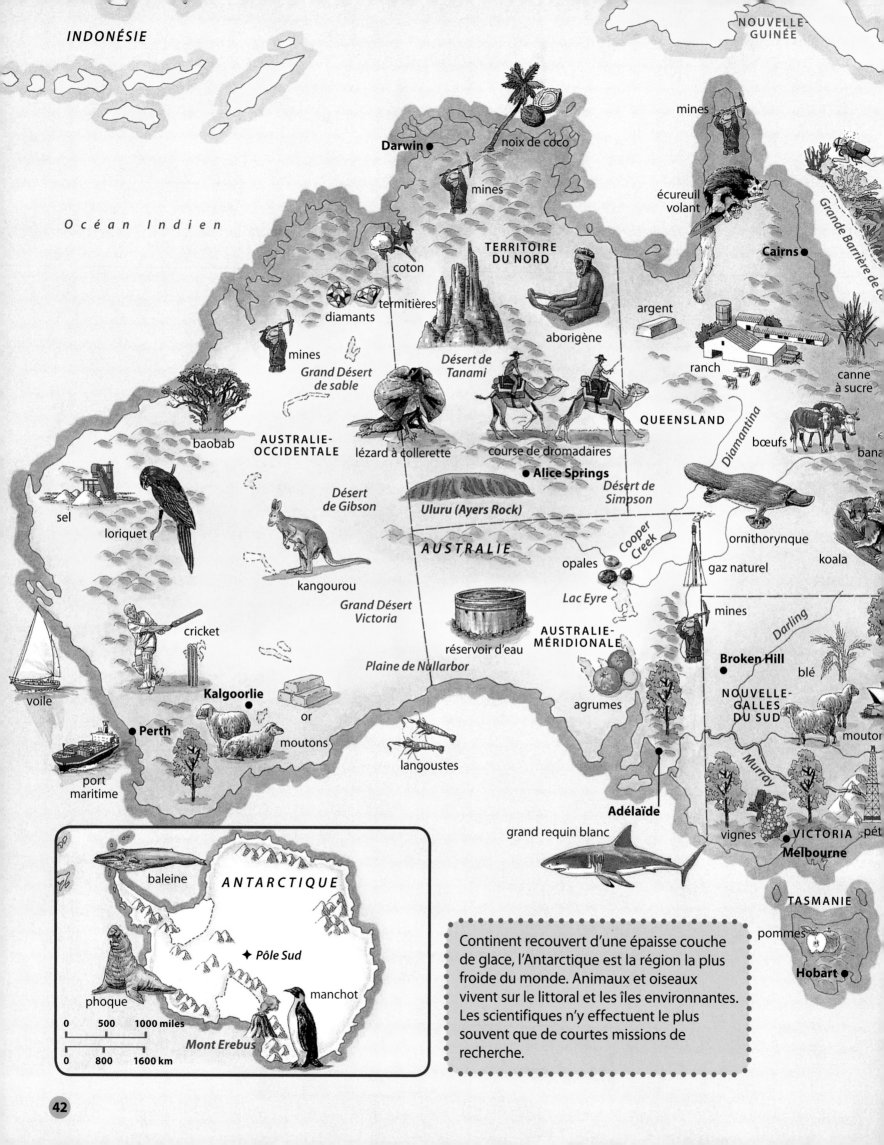

INDONÉSIE

NOUVELLE GUINÉE

Océan Indien

mines

Darwin ●

noix de coco

mines

écureuil volant

Cairns ●

Grande Barrière de co

coton

TERRITOIRE DU NORD

diamants

termitières

argent

aborigène

mines

Grand Désert de sable

Désert de Tanami

ranch

canne à sucre

baobab

AUSTRALIE-OCCIDENTALE

lézard à collerette

course de dromadaires

QUEENSLAND

bœufs

bana

sel

loriquet

Désert de Gibson

● Alice Springs

Uluru (Ayers Rock)

Désert de Simpson

Diamantina

ornithorynque

koala

kangourou

AUSTRALIE

opales

Cooper Creek

gaz naturel

Grand Désert Victoria

Lac Eyre

mines

Darling

cricket

réservoir d'eau

AUSTRALIE-MÉRIDIONALE

Broken Hill

blé

Plaine de Nullarbor

Kalgoorlie

voile

or

NOUVELLE-GALLES DU SUD

Perth ●

moutons

langoustes

agrumes

mouton

port maritime

Murray

Adélaïde

pét

grand requin blanc

vignes

VICTORIA

Mélbourne

baleine

ANTARCTIQUE

TASMANIE

pommes

phoque

✦ Pôle Sud

Hobart ●

Continent recouvert d'une épaisse couche de glace, l'Antarctique est la région la plus froide du monde. Animaux et oiseaux vivent sur le littoral et les îles environnantes. Les scientifiques n'y effectuent le plus souvent que de courtes missions de recherche.

manchot

| 0 | 500 | 1000 miles |

Mont Erebus

| 0 | 800 | 1600 km |

L'Australasie et l'Antarctique

La majeure partie de l'ouest de l'Australie est occupée par un désert très peu habité. Les plus grandes villes sont situées sur la côte Est, au climat plus tempéré. Sydney, la plus grande ville d'Australie, abrite plus de quatre millions d'habitants. Au centre du pays, l'outback est une région chaude et sèche où l'on élève des moutons. L'Australie est le principal producteur de laine au monde. Agriculture et exploitation minière y sont aussi importantes. Le pays possède de riches gisements d'or, d'argent, de pierres précieuses et de fer.

Située au sud-est de l'Australie, la Nouvelle-Zélande jouit d'un climat plus doux. La plupart des Néo-Zélandais vivent dans l'Île du Nord, où l'on trouve davantage de grandes villes. L'Île du Sud possède de bons pâturages, l'élevage laitier y est conséquent.

Gros plan sur...

 Comme tous les marsupiaux, les **kangourous** possèdent une poche ventrale dans laquelle ils transportent leurs petits après la naissance.

 Presque toutes les **opales** du monde proviennent d'Australie, où on les a découvertes en 1849. L'exploitation n'a pas cessé depuis.

 Les **Maoris**, descendants des premiers Néo-Zélandais, possèdent une culture riche et variée. Leurs sculptures sur bois sont célèbres.

 Le **kiwi** vit dans les forêts de Nouvelle-Zélande. Son long nez lui permet de creuser la terre pour trouver des vers.

 La **Grande Barrière de corail** s'étend sur plus de 2 000 kilomètres au large du Queensland. Très populaire auprès des plongeurs, elle est victime de la fréquentation touristique et du changement climatique.

 Tous les deux ans, Anglais et Australiens se disputent le trophée Ashes, en **cricket.**

Le savais-tu ?

♦ Avant l'arrivée des Européens en 1770, l'Australie était habitée par les seuls Aborigènes. Ceux-ci vivaient en nomades, chasseurs et cueilleurs, depuis 30 000 ans au moins. La terre est toujours sacrée à leurs yeux.

♦ Le mont Uluru (Ayers Rock) culmine à 348 mètres dans le désert du centre de l'Australie. Les Aborigènes le considèrent comme un lieu sacré. À ses pieds se trouvent des grottes ornées de peintures rupestres.

♦ Les Maoris appellent la Nouvelle-Zélande « Aotearoa » : « pays du long nuage blanc ».

lac

Brisbane

vignes

Cordillère australienne

charbon

port maritime

Sydney

CANBERRA

surf

ERRITOIRE DE LA APITALE AUSTRALIENNE

0   250   500 miles

0   400   800 km

Océan Pacifique

ÎLE DU NORD

Auckland

gravures sur bois maories

kiwi

Mont Taranaki

pommes

pêche

bois

blé

WELLINGTON

NOUVELLE-ZÉLANDE

moutons

Mer de Tasman

Alpes néo-zélandaises

Christchurch

ÎLE DU SUD

Dunedin

Glossaire

Canal
Voie navigable creusée par l'homme pour le transport des biens ou des personnes.

Canyon
Profonde vallée aux parois abruptes, creusée au cours des siècles par le passage d'un cours d'eau.

Capitale
Ville où siège le gouvernement d'un pays.

Civilisation
Société (groupe d'individus) ayant développé un niveau élevé d'organisation et de culture.

Climat
Type de temps que l'on rencontre généralement dans un lieu donné.

Continent
Très vaste surface de terre, regroupant souvent de nombreux pays. La Terre compte sept continents.

Cultures
Au pluriel, ensemble des végétaux que l'homme fait pousser pour se nourrir ou comme matière première.

Désert
Endroit où il pleut très rarement. Il existe des déserts chauds et des déserts froids. La végétation y est rare.

Dialecte
Façon de parler des habitants d'une région particulière.

Économie
Tout ce qui concerne l'achat, la vente et la production de biens et de services.

Épice
Partie séchée d'une plante, utilisée en cuisine pour ses vertus gustatives ou odorantes (poivre, cannelle, paprika, noix de muscade, entre autres).

Famine
Manque d'aliments dans une région particulière. Elle peut résulter du mauvais temps ou de la guerre.

Forêt tropicale
Forêt dense où les pluies sont abondantes toute l'année.

Gorge
Vallée aux parois abruptes, creusée au cours des siècles par le passage d'un cours d'eau. Un canyon est une grande gorge.

Habitant
Personne qui vit dans un lieu précis (ville ou région).

Industrie
Fabrication et vente de biens (habits, voitures, jouets, etc.).

Marécage
Terre humide recouverte le plus souvent d'eau.

Plaine
Vaste étendue de terre couverte d'herbe, où les arbres sont rares.

Plantation
Grande ferme où l'on travaille diverses cultures.

Population
Toutes les personnes qui vivent dans un endroit donné (ville, région, pays).

Réfugié
Personne forcée de quitter le lieu où elle vit pour trouver de la nourriture ou la sécurité ailleurs.

Région
Grande zone géographique.

Régions subtropicales
Régions situées à proximité des tropiques.

Religion
Ensemble de croyances concernant la création de l'univers et le comportement des individus.

République
Pays qui n'est gouverné ni par un monarque, ni par un tyran. Elle est habituellement dirigée par un président ou un Premier ministre.

Ressource naturelle
Matière première que l'homme n'a pas besoin de fabriquer (bois, eau, charbon, etc.).

Savane
Grande zone couverte d'herbe rase.

Sultan
Dirigeant d'un pays islamique (musulman).

Temple
Édifice consacré au culte religieux.

Terrain
Zone remarquable par sa nature géologique ou géographique.

Tombe
L'endroit où repose un mort.

Tropiques
Régions chaudes situées de part et d'autre de l'équateur (tropique du Cancer au nord, tropique du Capricorne au sud).

Vallée
Terre de basse altitude située entre des montagnes ou des collines. Elle est parfois traversée par un cours d'eau.

Volcan
Montagne ou colline, généralement surmontée par un cratère d'où s'échappe de la roche en fusion (lave) propulsée depuis les entrailles de la Terre.

Index des cartes

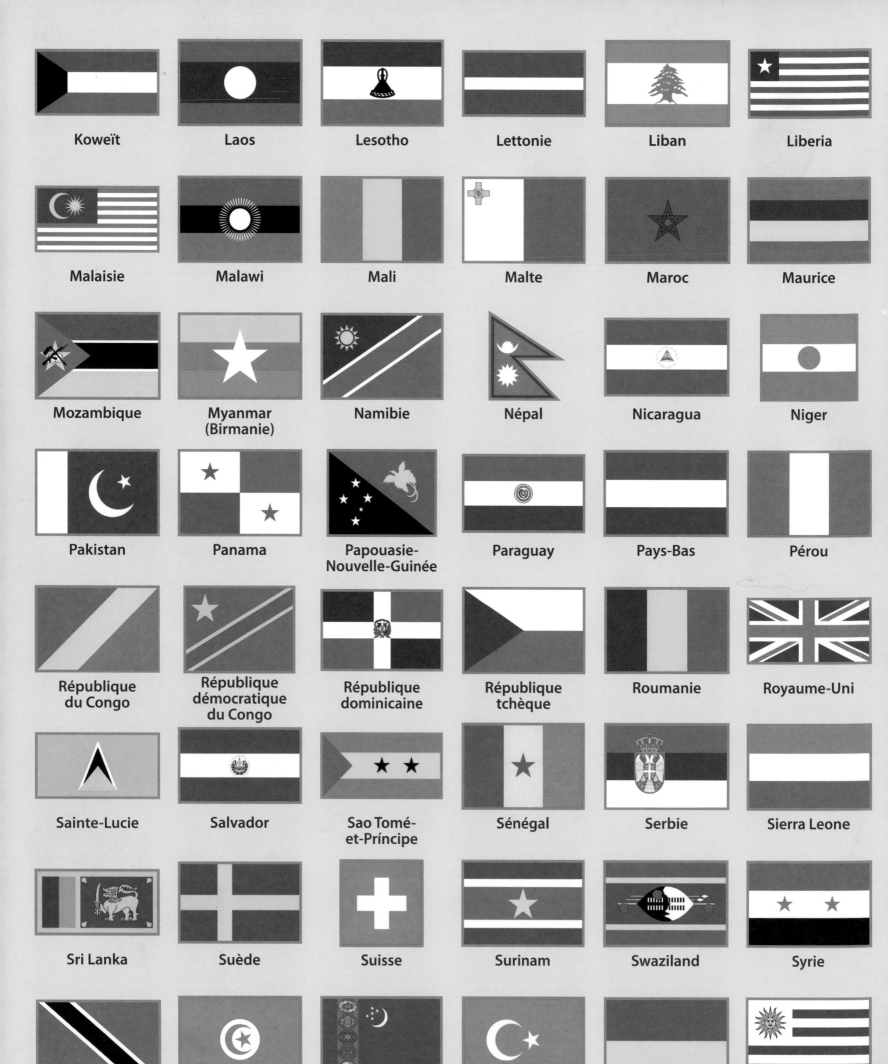

Koweït	Laos	Lesotho	Lettonie	Liban	Liberia
Malaisie	Malawi	Mali	Malte	Maroc	Maurice
Mozambique	Myanmar (Birmanie)	Namibie	Népal	Nicaragua	Niger
Pakistan	Panama	Papouasie-Nouvelle-Guinée	Paraguay	Pays-Bas	Pérou
République du Congo	République démocratique du Congo	République dominicaine	République tchèque	Roumanie	Royaume-Uni
Sainte-Lucie	Salvador	Sao Tomé-et-Príncipe	Sénégal	Serbie	Sierra Leone
Sri Lanka	Suède	Suisse	Surinam	Swaziland	Syrie
Trinité-et-Tobago	Tunisie	Turkménistan	Turquie	Ukraine	Uruguay